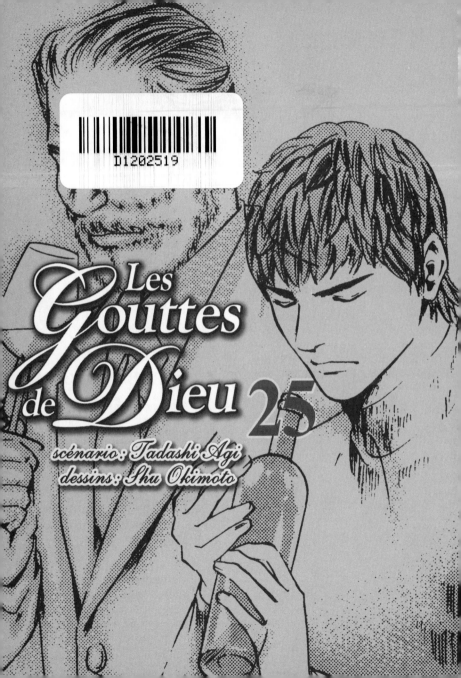

Les Personnages

les rôles

SHIZUKU KANZAKI

Fils du critique de vin mondialement célèbre Yutaka Kanzaki. Il a longtemps refusé de boire du vin par esprit de rébellion envers son père, mais à la mort de celui-ci, il est tombé sous le charme de ce breuvage. Il a peu de connaissances théoriques, mais ayant été éduqué enfant de manière à développer son don pour le vin, il possède une sensibilité et une capacité de description extraordinaires. Il travaille au département Vins des Bières Taiyo.

MIYABI SHINOHARA

Apprentie sommelière.
Elle possède de vastes connaissances théoriques mais a échoué plusieurs fois à l'examen de sommelier. Elle a été engagée comme conseillère au département Vins des Bières Taiyo et aide Shizuku.

ROBERT DOI

Arbitre du duel entre Shizuku et Issei. Une profonde amitié le liait à Yutaka Kanzaki du vivant de ce dernier. Il se cache en général sous l'apparence d'un sans-abri, mais on dit que sa fortune dépasse le milliard de yens.

ISSEI TOMINE

_Un jeune critique qui consacre sa vie au
vin. Dans le but de s'approprier la collection
de Yutaka Kanzaki, il s'est fait adopter par ce
dernier et participe au duel des apôtres.
Ses immenses connaissances et ses descriptions
brillantes en font un "prince" et un leader du
monde du vin._

Résumé

_Le célèbre œnologue Yutaka
Kanzaki, dont les critiques
influençaient la valeur des
vins dans le monde entier,
meurt en laissant une collection de plus de 2 milliards de
yens ! La plus précieuse de
ses bouteilles s'appelle les
Gouttes de Dieu. Seul celui
qui découvrira le nom et le
millésime de ces Gouttes de
Dieu et des 12 autres vins
qu'il a choisis pourra rece-
voir son héritage. Son fils
Shizuku et son fils adoptif
Issei relèvent ce défi !_

HAYAMA

_Ancien ami de Yutaka
Kanzaki. Il a vécu avec ce
dernier à Bordeaux quand
ils étaient jeunes et se
racontaient leurs rêves.
Il est aujourd'hui négociant._

MARIE

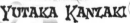
_La fille de Hayama. Le stock de
grands vins qu'elle a acheté, afin
que son père reconnaisse sa
compétence dans ce domaine,
contient des contrefaçons. Elle
s'entend mal avec son père._

YUTAKA KANZAKI

_Un immense critique
qui par son savoir, son
expérience et sa puissance
d'expression a gravé son
nom dans le monde du vin.
Après sa mort, l'ouverture
de son testament a déclen-
ché une onde de choc._

Sommaire

PAR MA FAUTE.

SI ON NE REMBOURSE PAS LE PRÊT QUE J'AI FAIT SANS RIEN DEMANDER, LE COMMERCE DE PAPA SORTIRA DE LA FAMILLE...

...

JE VAIS DÉGUSTER À L'AVEUGLE DONC...

PRÉVIENS-MOI QUAND ON SERA SERVIS.

BUVONS PLUTÔT DU VIN !

Garçon, débouchez les bouteilles.

MAIS BON, TANT PIS.

ET PUIS, JE ME SUIS DÉJÀ TELLEMENT COMPORTÉE EN FILLE INDIGNE JUSQU'ICI...

OH ?

BON, JE COMPTE SUR TOI.

D'ABORD, LE BLANC.

MAIS LE NEZ N'EST PAS SUCRÉ... IL N'EST PAS BOTRYTISÉ.

NON, ATTENDS.

DU SAUVIGNON BLANC.

ET PUIS, CE QU'ON PEUT APPELER LE SYMBOLE DES BORDEAUX BLANCS...

DU SÉMILLON, SOUVENT EMPLOYÉ POUR LES VINS BOTRYTISÉS.

C'EST VRAIMENT INFIME, MAIS IL EST BIEN LÀ.

IL S'Y MÊLE UN TRÈS LÉGER ARÔME TYPIQUE DE CES VINS-LÀ...

IL N'A ABSOLUMENT PAS ÉTÉ TOUCHÉ PAR LA POURRITURE NOBLE, ET LOIN D'ÊTRE LIQUOREUX, IL EST EXTRÊMEMENT SEC.

C'EST BEL ET BIEN LE CRU D'UN CHÂTEAU QUI PRODUIT UN VIN BOTRYTISÉ, MAIS...

PAS POSSIBLE...

CE CRU-CI EST CENSÉ N'ÊTRE RIEN MOINS QU'UN AUTHENTIQUE VIN SEC.

C'EST VRAI QU'IL ARRIVE QUE LE BLANC SEC DE CHÂTEAU D'YQUEM, "Y", AIT COMME DANS SON MILLÉSIME 2000 UN ARÔME BOTRYTISÉ ET UN SUCRÉ LÉGER, CEPENDANT...

JE PEUX BOIRE ?

MAIS ÇA NE PEUT ÊTRE QU'UN COUP DE CHANCE...

EST-CE CELUI QUI FLOTTAIT LÉGÈREMENT DANS LE VIGNOBLE AVANT QUE LA BOTRYTIS CINEREA N'Y PROLIFÈRE ?

SI MALGRÉ ÇA SHIZUKU A PERÇU UN TEL ARÔME DE POURRITURE NOBLE...

IL AURAIT DÉTECTÉ CET ARÔME QUI AU COURS DE TRÈS LONGUES ANNÉES...

A IMPRÉGNÉ LE TERROIR ?

JE T'EN PRIE.

WOOSH

IL NE POURRAIT PAS VOIR, PAR HASA...

IL... IL A SAISI LE VERRE SANS HÉSITER...

ALORS, IL A SU OÙ ÉTAIT POSÉ LE VERRE RIEN QUE GRÂCE AU BOUQUET DU VIN ?

MAIS NON !!

...

HERBES ET PLANTES SAUVAGES...

DES FLEURS TOUTES SIMPLES SONT PLANTÉES SOUS LEUR ASPECT NATUREL...

IL N'A PAS LA MAGNIFICENCE D'UN JARDIN STRUCTURÉ, MAIS...

ON S'Y SENT D'AUTANT PLUS À L'AISE.

ON EST DANS UN JARDIN À L'ANGLAISE ENTRETENU SUR UNE PETITE PROPRIÉTÉ BIEN DOUILLETTE.

IL N'Y A PAS DE FLEURS VOYANTES QUE L'ON PREND UNE À UNE...

...

MAIS C'EST UN PETIT JARDIN NATUREL, DONT ON NE SE LASSE PAS, AVEC UNE LÉGÈRE TOUCHE RAFFINÉE.

MARIE ?

C'EST QUOI CE VIN...

OÙ L'ON VA CUEILLIR MENTHE OU MÉLISSE QUE L'ON BOIT ENSUITE EN INFUSION...

C'EST UN PAISIBLE DÉBUT D'APRÈS-MIDI DE JOUR FÉRIÉ...

SOUS LE SOLEIL QUI PASSE ENTRE LES BRANCHES DES ARBRES.

HÉ ?

AH...

C'EST UN "R" DE RIEUSSEC BLANC 2007.

UN CRU SEC PRODUIT PAR LE CHÂTEAU RIEUSSEC DE SAUTERNES, CONNU POUR SON VIN LIQUOREUX BOTRYTISÉ.

2007

RIEUSSEC

BORDEAUX BLANC SEC

AVANT-HIER, ON M'A FAIT BOIRE UN VIN BOTRYTISÉ QUI AVAIT UN ARÔME DE PÊCHE.

ALORS, C'EST PEUT-ÊTRE POUR ÇA QU'IL EN AVAIT LÉGÈREMENT L'ARÔME ?

OOH...

ELLE M'A DIT QUE C'ÉTAIT PARCE QU'IL Y AVAIT TOUJOURS EU DES PÊCHERS PLANTÉS DANS LEUR VIGNOBLE.

J'AI TROUVÉ ÇA ÉTRANGE ET QUAND J'AI POSÉ LA QUESTION À LA PROPRIÉTAIRE...

POURQUOI, ALORS QU'IL EST CENSÉ ÊTRE FAIT AVEC UN RAISIN QUI N'A PAS ENCORE ÉTÉ TOUCHÉ PAR LA POURRITURE NOBLE ?

PEUT-ÊTRE, MAIS...

14

DIS, DIS ! GOÛTE L'AUTRE À L'AVEUGLE, AUSSI !

OK.

C'EST PEUT-ÊTRE LA MÊME CHOSE ICI ?

...

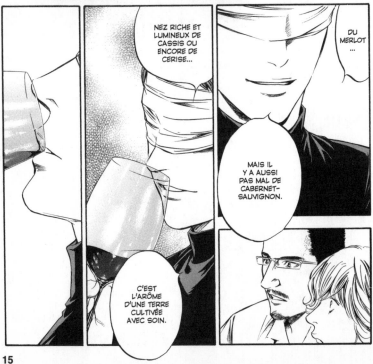

NEZ RICHE ET LUMINEUX DE CASSIS OU ENCORE DE CERISE...

DU MERLOT...

MAIS IL Y A AUSSI PAS MAL DE CABERNET-SAUVIGNON.

C'EST L'ARÔME D'UNE TERRE CULTIVÉE AVEC SOIN.

15

C'EST UN MUG PRÉFÉRÉ, CELUI QU'ON UTILISE TOUS LES JOURS.

IL EST À MOTIFS DE PETITS FRUITS DES BOIS SUR FOND BLANC.

PLUS ON S'EN SERT, PLUS ON S'Y ATTACHE ET PLUS IL NOUS DEVIENT PRÉCIEUX...

CE N'EST PAS UN ARTICLE DE LUXE, MAIS...

QUI DEVIENT COMME UNE PARTIE DE NOTRE VIE.

CE VIN EST NOTRE MUG PRÉFÉRÉ...

CHÂTEAU
LAMOTHE-VINCENT
RÉSERVE SAINT
VINCENT 2007.

MAIS IL A
MÊME REÇU
UNE MÉDAILLE
D'OR AU
CONCOURS
GÉNÉRAL
AGRICOLE
DE PARIS.

IL PARAÎT
QU'IL SE VEND
DANS LES
1 000 YENS*
AU JAPON...

OOOH...
AH BON...

*N.D.T. : environ 10 euros

...

IL FAUT EN
BOIRE ! IL FAUT
EN BOIRE ! ♥

BON, ALORS
JE M'EN
RESSERS
UN VERRE !
♥

T'ES GÉNIAL.
TU M'AS
VRAIMENT
BLUFFÉE.

ALORS
C'EST ÇA,
UN DON.

CE QUI COMPTE AVANT TOUT...

...

CE N'EST PAS SI EXTRAORDINAIRE QUE ÇA.

JE ME DEMANDE SI CE NE SERAIT PAS, EN EFFET, LE DON D'AIMER CE BREUVAGE ?

IL Y A DES TAS DE CHOSES PLUS IMPORTANTES POUR CONNAÎTRE LE VIN.

...

C'EST POUR ÇA QUE MOI, GRÂCE À MON ODORAT, JE SUIS EN MESURE D'IDENTIFIER QUELLES SONT LES CONTREFAÇONS DANS CETTE MONTAGNE DE BOUTEILLES DE GRANDS VINS.

PAR CONTRE, C'EST VRAI QU'APPAREMENT J'AI LE NEZ UN PEU PLUS SENSIBLE QUE LA MOYENNE.

ENVIRON MILLE !

OUI. IL Y EN A COMBIEN À PEU PRÈS ?

C'EST VRAI, ÇA ?!

IL N'Y A QUE DES PREMIERS CRUS...

ET EN PLUS, TOUS DU GRAND MILLÉSIME 2005.

HUUM.

RIEN QU'À L'ARÔME QUI PASSAIT À TRAVERS LE BOUCHON.

EN FAIT, J'AI DÉJÀ TRIÉ DES VINS SANS ÉTIQUETTE...

ÇA AVAIT ÉTÉ ASSEZ COMPLIQUÉ, MAIS...

COMME LÀ, IL N'Y AVAIT PAS DE DIFFÉRENCE DE QUALITÉ...

M... MAIS JE N'ARRIVE PAS À Y CROIRE.

DANS CE CAS, JE DEVRAIS POUVOIR ME DÉBROUILLER EN 2-3 JOURS, D'ICI QUE JE REPARTE AU JAPON.

JE PENSE POUVOIR Y ARRIVER FACILE.

CETTE FOIS, CE SONT DES VINS DE TRÈS GRANDE CLASSE ET DES FAUX, PAS VRAI ?

QUE TU POURRAS RÉUSSIR CE TOUR DU "CHIEN POLICIER".

C'EST PAS PARCE QUE TU ES LE FILS DE YUTAKA...

MERCI BEAUCOUP.

FAITES COMME VOUS VOULEZ.

JUSTE ESSAYER, ÇA, TOUT LE MONDE PEUT.

ON POURRAIT AU MOINS ESSAYER...

MAIS C'EST VRAI, PAPA !

ENFIN, J'EN AI DÉJÀ VIDÉ UNE CIN-QUANTAINE.

CE SONT LES 1 000 BOUTEILLES, DE LÀ À LÀ.

ÇA FAIT ENVIRON UNE BOUTEILLE SUR TROIS, ALORS...

ILS ONT DÛ POUVOIR SE FAIRE UN MAX.

S'IL Y A UN TIERS DE FAUX...

LE PRIX ÉTAIT À MOINS 10 %.

DANS LE TAS, UN TIERS ÉTAIENT DES CONTREFAÇONS.

IL EXHALE UN ARÔME SUPERBE.

POC

C'EST UN VRAI.

...

ÇA AUSSI.

ÇA AUSSI, UN VRAI.

LA CONTREFAÇON N'EN AVAIT PRESQUE PAS.

JE LE SAIS PARCE QUE...

C'EST VRAI QUE C'EST UN HOMME QUI A PU IDENTIFIER L'ARÔME DU VÉRITABLE HAUT-BRION QUI PERSISTAIT DANS CETTE PIÈCE.

SI ÇA SE TROUVE, IL POURRAIT RÉUSSIR UN TOUR AUSSI MIRACULEUX...

ÉTANT LE FILS DE YUTAKA KANZAKI...

ON EN A FAIT COMBIEN ?

13 CAISSES.

SURPRENANT QU'IL N'EN SORTE PAS.

C'EST BIZARRE...

MAIS COMME CE SONT DES PROBABILITÉS...

EH BIEN ALORS, FILS DE YUTAKA ?

IL DEVRAIT Y AVOIR DES FAUX DEDANS.

QUOI QU'IL EN SOIT, SI TU EN AS EXAMINÉ AUTANT...

ÉMANENT DES ARÔMES DE PREMIERS CRUS...

MAIS DE TOUS CES VINS...

J... JE SAIS BIEN.

ENFIN, QU'EST-CE QUE...

ÇA VEUT DIRE ?!

GRAND VIN CHATEAU LATO[ ]

PREMIER GRAND CRU

2005 PAUILLAC

#240 Fin

#241 *Si tu tends l'oreille au murmure du ciel brillant de soleil*

MAIS ENFIN, QU'EST-CE QUE ÇA SIGNIFIE ?!

AVEC TOUTES LES BOUTEILLES QUE J'AI EXA-MINÉES, C'EST INCROYABLE QU'IL N'Y AIT PAS UNE CONTREFAÇON DANS LE TAS !

ガチャン TCHING

ARRIVER À LES TRIER SANS LES DÉBOUCHER, C'EST UNE HISTOIRE À DORMIR DEBOUT.

ÇA SUFFIT.

C'EST SÛR QUE C'EST UN... NON... VÉRIFIE VOIR.

... CELUI-CI. C'EST UN DE CEUX QUE TU AS CHOISIS...

...

ポン ポン

EST-CE UN VRAI OU UN FAUX...

C'EST UNE CONTREFAÇON.

MOI, JE DOIS CONTINUER MON VOYAGE POUR FAIRE DIMINUER CETTE ÉNORME MONTAGNE DE VINS.

ALORS, FILE D'ICI EN VITESSE. T'AS PIGÉ ?

26

PARCE QUE TU VOIS, QUELQUE PART DANS MA TÊTE, JE ME DISAIS QUE ÇA NE DEVAIT PAS ÊTRE POSSIBLE...

DE JUGER SI UN VIN ÉTAIT UNE CONTREFAÇON OU PAS SANS LE DÉBOUCHER.

PAS DE QUOI T'EN FAIRE, JE TE DIS.

ET EN CORÉE DU SUD, J'Y SUIS BEL ET BIEN ARRIVÉ.

MOI, JE PENSAIS EN ÊTRE CAPABLE.

ÉMANAIT BIEN UN AUTHENTIQUE ARÔME À L'IMAGE D'UN MAJESTUEUX CHÂTEAU.

DE FAIT, DE CETTE BOUTEILLE DE FAUX LAFITE...

IL EST QUASI-INSIPIDE.

MAIS UNE FOIS OUVERT, LE CONTENU EST CETTE PITIÉ.

GLOU

PWAH

MAIS MÊME UN CRU COMME ÇA, IL Y A QUELQU'UN QUI L'A FAIT AVEC LE RAISIN DE SON VIGNOBLE.

IL FAUT LE BOIRE QUAND MÊME.

TU AIMES VRAIMENT LE VIN, HEIN ?

OUI.

LE VIN M'A OFFERT UNE SECONDE VIE.

ALORS JE VEUX PASSER CELLE-CI À LUI RENDRE CE BIENFAIT.

OH ? A PU...

...

AU BOUT DU COMPTE, C'EST BIEN L'IMAGE D'UN CHÂTEAU MAJESTUEUX QUE JE SENS VENANT DE CETTE BOUTEILLE DE FAUX !

M... MAIS C'EST QUOI, ÇA ?!

MH ?

SNIF

...

UN CHÂTEAU MAJESTUEUX, C'EST-À-DIRE ?

HEIN ? DE QUOI TU PARLES ?

MAIS HÉ, SHIZUKU ?!

PAS POSSIBLE !

Qu'est-ce qu'il peut bien vouloir faire, Kanzaki Jr. ?

...

Il arrive à l'improviste et me demande de l'emmener à la cave...

DISTINGUE... PARMI "LE CIEL, LA TERRE, LES HOMMES"...

LE CIEL...

Ça...

aucune idée.

T'ES INCORRI-GIBLE...

QUOI, T'ES REVENU ?

S'IL VOUS PLAÎT.

INUTILE.

SENTIR LES BOU-TEILLES DE CE MON-CEAU.

JE VOUDRAIS QUE VOUS ME LAISSIEZ ENCORE UNE FOIS...

POURTANT, IL POURRA LE FAIRE AUTANT DE FOIS QU'IL VEUT, CE SERA TOUJOURS PAREIL...

JE VOUS REMERCIE !

COMME TU VEUX.

NE LAISSE PAS ÉCHAPPER LE MURMURE DE LA VOIX DU CIEL...

PERÇOIS... TENDS L'OREILLE...

J'AI SOIF...

CE SOLEIL...

ET LA CONCENTRA-TION DE CE RAISIN QUI SEMBLE BRÛLER...

CE VIN-LÀ EST UN FAUX.

QUOI ?!

C'EST UN DOUBLE ARC-EN-CIEL.

CELUI-CI AUSSI EST UN FAUX.

C... CE SONT BIEN TOUS DEUX DES CONTREFA-ÇONS...

MAIS C'EST LE CAS D'UNE BOUTEILLE SUR TROIS... ÇA PEUT ÊTRE AUSSI UNE COÏNCIDENCE.

LEQUEL EST UN VRAI ?! HEIN, LEQUEL ?!

QUE LE CIEL
A APPORTÉS
À CE VIN.

JE PEUX
SENTIR
D'ICI LES
BIENFAITS...

CECI EST UN AUTHENTIQUE CHÂTEAU LATOUR 2005.

GRAND VIN DE CHATEAU LATOUR
PREMIER GRAND CRU CLASSÉ
2005
PAUILLAC

PAPA ?

...

C'EST UN LATOUR.

LUI VA SÛREMENT ACCOMPLIR ÇA POUR NOUS...

LAIS-SONS-LE SEUL.

PAPA ?

C'EST CER-TAIN.

MMH...

TU ES RÉVEILLÉE ?

SI J'ALLAIS LE RÉVEILLER ?

TOUT À L'HEURE, JE SUIS ALLÉ JETER UN ŒIL, MAIS IL DORMAIT TOUJOURS.

ET SHIZUKU ?

ALORS ? ÇA TE FAIT QUOI D'AVOIR DORMI DANS TA CHAMBRE, DEPUIS TOUT CE TEMPS ?

ÇA FAISAIT LONGTEMPS QUE JE N'AVAIS PAS AUTANT DORMI.

BEN, C'EST UN PEU ÉTRANGE.

J'AI BIEN DORMI.

BWAAAH...

QUE LES FAUX SONT SEULEMENT CEUX QUI SONT LÀ.

JE JURE SUR BACCHUS...

TOUS LES AUTRES SONT D'AUTHENTIQUES GRANDS VINS.

COMME TU PEUX VOIR.

OUI...

TU AS FINI ?

MÊME TOI, PAPA !

PON

POP

S'IL Y AVAIT UN VRAI DANS LE TAS...

M... MINUTE !

XX !!

TCHWG

ARGH !

ET DONC...

キュ !!

GNIP

キュ !!

GNIP

ALLEZ...
VÉRIFIEZ, S'IL VOUS PLAÎT.

BON !

S'IL Y A UN SEUL VRAI PARMI CEUX-LÀ, JE M'INCLINERAI.

J'AI L'ODORAT TOUT TOURNE-BOULÉ...

HAA...

TU NE T'ES PAS TROMPÉ SUR UNE SEULE BOUTEILLE.

C'EST PARFAIT.

ET ALORS ?

COMMENT ?

JE RÊVE...

ALORS AUJOURD'HUI, ÇA VA ÊTRE DÉGUSTATION DES CONTREFAÇONS À GOGO JUSQU'AU SOIR !

GÉNIAAAL !

COMMENT TU AS PU LES TRIER AUSSI PARFAITEMENT QUE ÇA ?

DONNE-MOI LE TRUC, S'IL TE PLAÎT !

43

J'AI ÉCOUTÉ LA VOIX DU CIEL.

DU CIEL ?

LA VOIX...

#241 Fin

J'AI ÉCOUTÉ LA "VOIX DU CIEL".

POUR SÉPARER LE BON VIN DE L'IVRAIE...

LA VOIX DU CIEL ?

#242 *L'amour qui soupire en silence relie entre eux deux chemins*

TOUTES LES BOUTEILLES, ELLES, ÉTAIENT AUTHENTIQUES.

EN FAIT, MÊME SI DANS CES CONTREFAÇONS LE CONTENU ÉTAIT FAUX...

MAIS JE ME SUIS RENDU COMPTE QUE DANS LES FAUX, LES ARÔMES D'AUTRES MILLÉSIMES S'Y MÊLAIENT, ALORS QUE TOUS ÉTAIENT CENSÉS ÊTRE DES 2005.

COMME ILS ONT SANS DOUTE COLLECTÉ DES BOUTEILLES VIDES D'ANCIENS MILLÉSIMES FACILES À SE PROCURER...

EN CREUSANT LES CARACTÉRISTIQUES DES CRUS POUR CHAQUE ANNÉE.

J'AI DONC PENSÉ QU'IL FALLAIT FAIRE LA DISTINCTION...

LES BOUTEILLES EXHALAIENT LES BOUQUETS DU LAFITE ET AUTRES, ET ON NE POUVAIT PAS LES DIFFÉRENCIER.

EN ONT CHANGÉ LES ÉTIQUETTES ET LES ONT REMPLIES AVEC LES IMITATIONS...

ET J'AI IDENTIFIÉ LE NEZ DES AUTRES MILLÉSIMES.

JE SUIS DONC ALLÉ AU CHÂTEAU LAFITE ROTHSCHILD...

UN SOL SEC ET UN RAISIN UN PEU TROP CONCENTRÉ...

ET LÀ, J'AI SENTI DANS LE 2003 UN SOLEIL SI FORT QU'IL EST BRÛLANT...

DANS LE 2001, L'ODEUR DE LA PLUIE...

ET UN FROID DÉSAGRÉABLE, MAIS UNE ÉLÉGANCE QUI SEMBLAIT ÉCARTER TOUT CELA.

IL SUFFIT DE TROUVER L'ARÔME DE CELLE-CI...

TOUTES LES CONDITIONS IDÉALES POUR LE RAISIN...

ET DANS LE VIN DE 2005 QUE MARIE A ACHETÉ, UNE ANNÉE RÉUNISSANT...

M'A MURMURÉ À L'OREILLE.

OUI, LA "VOIX DU CIEL"...

G\vobs\ ゴキュッ

C'EST UN PROGRÈS ÇA AUSSI, NON ?

MÊME ICI, JE N'ARRÊTE PAS DE RÉALISER À QUEL POINT MON PÈRE ÉTAIT GÉNIAL.

RHÔÔ... MAIS NON !

MANQUE D'EXPÉRIENCE QU'ON DISCERNE LE CHEMIN QU'ON DOIT VRAIMENT PRENDRE.

C'EST SEULEMENT EN CONNAISSANT SON PROPRE...

J'EN SUIS ENCORE LOIN.

HEIN ?

MÊME SI MOI, MALHEUREUSEMENT, AUTREFOIS JE L'AI FUI.

ÉTAIT VRAIMENT UN TYPE INCROYABLE.

TON PÈRE...

UN JEUNE JAPONAIS COMME MOI, MAIS...

AU DÉBUT, JE NE LE VOYAIS QUE COMME...

EN HABITANT AVEC LUI, LA DIFFÉRENCE DE TALENT ET D'ABNÉGATION QUI NOUS SÉPARAIT M'A FLANQUÉ UN ÉNORME COUP.

J'AI FINI PAR M'ÉLOIGNER DE LUI.

ET QU'ON AVAIT PRIS LE DÉPART ENSEMBLE...

ALORS QU'ON FAISAIT FACE AU VIN DE LA MÊME MANIÈRE...

D'UN DES MEILLEURS CRITIQUES ET DÉGUSTA- TEURS AU MONDE...

AU BOUT DU COMPTE, IL A FAIT RETENTIR SON NOM COMME CELUI...

POURQUOI UNE TELLE DIFFÉRENCE S'ÉTAIT-ELLE CREUSÉE ENTRE NOUS ?

ET MOI, JE N'AI PAS PU FAIRE MIEUX QUE SIMPLE NÉGOCIANT.

MAIS AVOIR PU TE RENCONTRER MAINTENANT, COMME SI BACCHUS L'AVAIT ARRANGÉ...

M'INFORME PEUT-ÊTRE QUE YUTAKA A PARDONNÉ À CELUI QUE J'ÉTAIS AUTREFOIS.

JE PENSE FAIRE DE CETTE RENCONTRE UN NOUVEAU DÉPART...

AVEC MA FILLE.

LE POINT DE DÉPART VERS UN NOUVEAU CHEMIN DU VIN...

À L'AMER-TUME DE NE PAS AVOIR DE DON...

MAIS MOI QUI AVAIS TANT, TROP GOÛTÉ...

JE SAVAIS QUE TU ESSAYAIS D'AIMER LE VIN À TA MANIÈRE.

PAPA !

JE NE VOULAIS PAS QUE TU VIVES LA MÊME CHOSE.

RE-VIENS...

MARIE.

J'AI PU AINSI CONSTRUIRE UN CHÂTEAU... CERTES PETIT, MAIS QUI M'APPARTIENT.

POURTANT, QUAND J'Y PENSE, MÊME EN ÉTANT DÉPOURVU DE TALENT...

LE FILS DE MON ANCIEN MEILLEUR AMI S'EST MANIFESTÉ ET M'A SAUVÉ.

...

ET AU MOMENT OÙ J'ABANDON-NAIS, PENSANT QUE TOUT ÉTAIT FICHU...

MARIE.

J'AVAIS TORT...

CE QUI DÉCIDE DE LA MANIÈRE DONT QUELQU'UN VA MENER SON EXISTENCE...

C'EST UN SENTIMENT ET UN SEUL...

CE N'EST PAS LE FAIT D'AVOIR OU PAS DU TALENT QUI PRÉSIDE À UNE VIE, ET PAS SEULEMENT POUR LE VIN.

L'AMOUR.

JE VOIS.

SI J'IGNORE QUEL EST CE BORDEAUX QUI EST DEVENU L'AUTRE POINT D'ORIGINE DE MON PÈRE...

OUI !

SI TU ES VENU ME RENDRE VISITE, C'ÉTAIT DONC POUR SAVOIR QUEL VIN A MONTRÉ "LE CHEMIN" À YUTAKA ?

JE PENSE QUE MA VENUE ICI N'AURA EU AUCUN SENS.

PEU IMPORTE ! DITES-MOI, S'IL VOUS PLAÎT !

VOUS ÊTES LE SEUL SUR QUI JE PEUX COMPTER !

CE SERA LE VIN DONT TU PARLES, MAIS...

JE NE SAIS PAS SI AU BOUT DU COMPTE...

LE "CHEMIN", HEIN ?

ÉTAIT OBLIGÉ DE FERMER, FAUTE DE QUELQU'UN POUR LE REPRENDRE.

LE VIEUX RESTAURANT EN VILLE OÙ ON TRAVAILLAIT À MI-TEMPS...

HABITIONS ENCORE ENSEMBLE À BORDEAUX.

ÇA DATE DE L'ÉPOQUE OÙ YUTAKA ET MOI...

MERCI DE M'AVOIR AIDÉ JUSQU'AU BOUT.

KOSUKE, YUTAKA...

DÉSOLÉ DE N'AVOIR PAS PU VOUS VERSER DE SALAIRE DÉCENT...

VOUS NOUS AVEZ AUSSI APPRIS DES TAS DE CHOSES SUR LE VIN...

MERCI BEAUCOUP.

JE VOUS EN PRIE...

ON DOIT VRAIMENT BEAUCOUP À VOTRE RESTAURANT.

JE NE DIS PAS QUE CELA COMPENSERA, MAIS...

JE VOUS DONNE CECI.

PRENEZ.

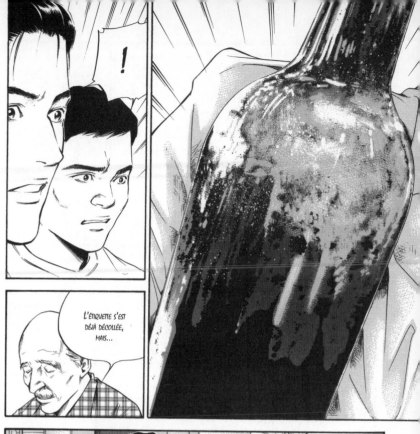

!

L'ÉTIQUETTE S'EST DÉJÀ DÉCOLLÉE, MAIS...

M... MONTREZ, S'IL VOUS PLAÎT...

HÉ, YUTAKA.

CE VIN ANCIEN EST...

ÇA NE SERT À RIEN DE S'Y INTÉRESSER.

UN VIN DONT ON NE CONNAÎT PAS L'APPELLATION NI LE MILLÉSIME...

...

LE CONTENU DOIT S'ÊTRE CHANGÉ EN ESPÈCE DE VINAIGRE POURRI, TU NE CROIS PAS ?

EST-CE QUE JE PEUX L'OUVRIR ET LE GOÛTER MAINTENANT ?

...

HEIN ?

OUI.

BUVEZ, ET ESSAYEZ À VOTRE FAÇON DE TROUVER...

ENTRE LES LIGNES, QUELQUE CHOSE QUI "A UN SENS".

AH, LE BOUCHON AUSSI EST EN MIETTES.

C'EST PARCE QUE C'EST UN VIN...

QUE MON GRAND-PÈRE A ACHETÉ DANS SA JEUNESSE.

M... MAIS C'EST...

ALLEZ, GOÛTEZ !

C'EST UN VIN DE 1870.

MAIS C'EST IMPOSSIBLE QU'UN TEL CRU SOIT BUVABLE !!

DE... 1870 ?!

D'IL Y A UN SIÈCLE ?

CE VIN...

EST VIVANT.

IL A BU CE VIN, COMME POSSÉDÉ PAR JE NE SAIS QUOI...

C'ÉTAIT LA PREMIÈRE FOIS QUE JE VOYAIS YUTAKA...

ET À LA FIN, IL A SOUFFLÉ DANS UN MURMURE...

AUSSI SÉRIEUX.

JUSQU'OÙ VA DONC...

CE "CHEMIN" ?

DEPUIS CE MOMENT QUE YUTAKA A CHANGÉ !

OUI, C'EST DEPUIS CE MOMENT...

IL A BU TOUS LES CRUS, COMME S'IL VOULAIT TOUT SAVOIR...

QUEL QU'EN SOIT LE PRIX, ET EST DEVENU CAPABLE DE LES DÉCRIRE.

IL EST DEVENU CAPABLE DE PARLER PHILOSOPHIE À TRAVERS LE VIN...

S'IL EST BUVABLE...

JE VEUX EN BOIRE !

C'ÉTAIT QUOI, CE VIN ?!

J'AI GARDÉ SANS LA CONSOMMER LA BOUTEILLE QUE J'AI REÇUE POUR MA PART.

JE VAIS...

RÉALISER TON VŒU.

#242 Fin

64

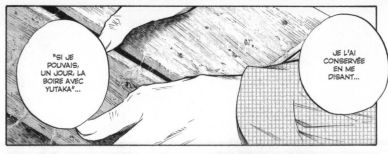

"SI JE POUVAIS, UN JOUR, LA BOIRE AVEC YUTAKA"...

JE L'AI CONSERVÉE EN ME DISANT...

UN CHÂTEAU LÉOVILLE 1870.

C'EST QUOI ?

POUVOIR LA DÉGUSTER AVEC TOI, SON FILS...

...

CE RÊVE NE POURRA PLUS SE RÉALISER, MAIS...

EST PEUT-ÊTRE ENCORE UN TOUR DU DESTIN ARRANGÉ PAR BACCHUS.

BIEN QU'À L'ÉPOQUE, LE VIGNOBLE AVAIT DÉJÀ ÉTÉ DIVISÉ EN TROIS...

ILS POUVAIENT TOUS PORTER LE NOM DE "CHÂTEAU LÉOVILLE", PARAÎT-IL.

UN CHÂTEAU LÉOVILLE ?

LEQUEL : LAS CASES, POYFERRÉ, OU BARTON ?

GLOUPS

ALLEZ, JE L'OUVRE.

C'EST POURQUOI, AUJOURD'HUI ENCORE, J'IGNORE TOTALEMENT LEQUEL DES TROIS C'EST.

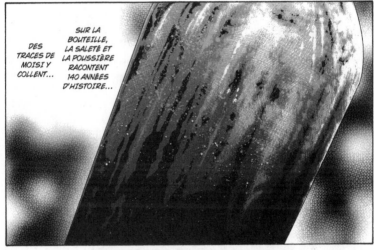

DES TRACES DE MOISI Y COLLENT...

SUR LA BOUTEILLE, LA SALETÉ ET LA POUSSIÈRE RACONTENT 140 ANNÉES D'HISTOIRE...

NON... AVANT ÇA, MÊME, EST-CE QU'ELLE EST VRAIMENT EN MESURE D'ÊTRE BUE ET APPRÉCIÉE EN TANT QUE VIN ?

AU BOUT DU COMPTE, EST-CE QUE C'EST BIEN CELLE QUI A MONTRÉ LE CHEMIN À PAPA ?

EUH... SI J'ESSAYAIS À VOTRE PLACE ?

JE VAIS TE RAPPORTER UN FILTRE À THÉ.

NON !

AH, NON ! IMPOSSIBLE AVEC UN TIRE-BOUCHON !

IL EST EN LAMBEAUX.

COMME LE BOUCHON N'A JAMAIS DÛ ÊTRE CHANGÉ EN 140 ANS...

JE SUIS NERVEUX, NORMAL...

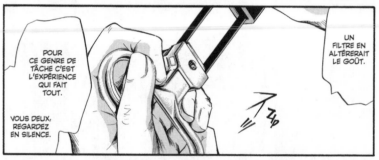

POUR CE GENRE DE TÂCHE C'EST L'EXPÉRIENCE QUI FAIT TOUT.

VOUS DEUX, REGARDEZ EN SILENCE.

UN FILTRE EN ALTÉRERAIT LE GOÛT.

ET LE DÉCANTERAI DOUCE-MENT.

SI ÇA NE MARCHE PAS COMME ÇA, JE FERAI TOMBER LE BOUCHON...

O... OK !

PETIT À
PETIT...

BON !
C'EST
DEDANS !

ENSUITE,
PETIT À
PETIT...

IL EST RESTÉ
FICHÉ DANS
LA BOUTEILLE
PENDANT
140 ANS !

REGARDEZ
CE BOU-
CHON !

JE L'AI
DÉBOU-
CHÉE !!

J'AI
RÉUSSI !
JE L'AI
ENLEVÉ !

BAH, JUSTE L'EXPÉRIENCE DU POCHTRON.

TROP FOOORT...

RETIRER ÇA, C'EST UN COUP DE MAÎTRE !

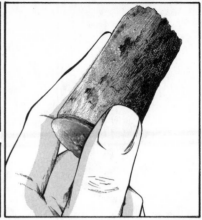

PAR TOI.

ALORS, ON COMMENCE...

JE CROYAIS QUE SA COULEUR SERAIT PLUS AU-DELÀ DU ROUGE BRIQUE, CARRÉMENT MARRON, MAIS...

LE BEAU CRAMOISI D'UN VIN ROUGE Y RESTE SOLIDEMENT.

OH, SA ROBE EST PLUS JEUNE QUE JE NE PENSAIS.

UN VIN AUSSI VIEUX DANS NOTRE PAYS, IL FAUT AU MOINS LE TRANSPORTER PAR AVION.

SI ON VEUT BOIRE...

...

DU CHÂTEAU AU RESTAURANT, PUIS APRÈS UN PASSAGE DANS NOTRE APPAR-TEMENT, JE L'AI ENTREPOSÉ ICI IL Y A PLUSIEURS DIZAINES D'ANNÉES...

C'EST NORMAL, IL N'A ÉTÉ DÉPLACÉ QUE TROIS FOIS.

IL EST INCOMPARABLE AVEC UN VIN ACHEMINÉ AU JAPON PAR BATEAU.

CE VIN EST TOUJOURS VIVANT !!

IL EST VIVANT !

IL DORT ET NE SEMBLE AVOIR QU'UN TRÈS LÉGER BOUQUET, MAIS IL Y A DE L'ÉNERGIE VITALE EN SON CŒUR.

QUOIQUE, POUR ÊTRE EXACT...

Y RESTE FERMEMENT EXPRIMÉ.

L'ARÔME DE FRUITS NOIRS UNIQUE AUX BORDEAUX...

CELA NE REPRÉSENTE MÊME PAS UN TIERS DU TEMPS QU'A VÉCU CE VIN.

C'EST IL Y A DES DIZAINES D'ANNÉES QUE TON PÈRE L'A BU MAIS...

IL A CONSERVÉ LA MÊME ROBE ET LA MÊME QUALITÉ, SANS AUCUNE ALTÉRATION, DEPUIS CE MOMENT-LÀ.

ET SURTOUT, DE MON POINT DE VUE...

AUTREMENT DIT, TU ES LÀ SUR LE POINT DE FAIRE L'EXPÉRIENCE D'UN CRU...

QUE TON PÈRE A BU DANS SA JEUNESSE.

CE "QUELQUE CHOSE" QU'IL A RESSENTI À L'ÉPOQUE.

TOI AUSSI, MONTRE QUE TU PEUX PERCEVOIR...

ALORS, AVEC UN CŒUR LIMPIDE...

GLOUPS

MAIS EN EFFET, LA FLAMME DE SA VIE N'EST PAS ÉTEINTE.

UN ARÔME DE RENFERMÉ...

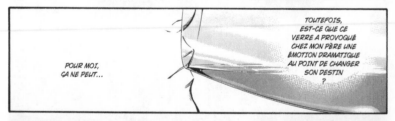

POUR MOI, ÇA NE PEUT...

TOUTEFOIS, EST-CE QUE CE VERRE A PROVOQUÉ CHEZ MON PÈRE UNE ÉMOTION DRAMATIQUE AU POINT DE CHANGER SON DESTIN ?

C'EST UNE TERRE STÉRILE.

ON TROUVE DANS CE DÉSERT LES VESTIGES DE CE QUI ÉTAIT AUTREFOIS VILLES, SOURCES ET ARBRES...

MAIS TOUT EST COMPLÈTE-MENT MORT.

IL N'Y A PAS ICI LE MOINDRE ESPOIR.

UNE MONTAGNE ESCARPÉE D'OÙ S'ÉLÈVENT DES FUMÉES NOIRES...

PARCE QUE SINON, POURQUOI EST-CE QUE J'AURAIS EU L'ENVIE DE PORTER CE VIN À MA BOUCHE ?

NON... EST-CE QUE C'EST VRAIMENT LE CAS ?

ET DANS
CE CAS...

SA RARETÉ
SEULE NE
DEVRAIT PAS
ME DONNER
SI SOIF.

SI
CE N'ÉTAIT
QU'UNE TERRE
STÉRILE...

FLAAP

MAIS QUOI ?
QU'EST-CE
QUE TU...

UN VIEIL
AIGLE...

LÀ, C'EST EXACTEMENT LA FRAÎCHEUR DE CE QUI VIENT DE NAÎTRE...

QUELLE JEUNESSE, QUELLE PUISSANCE !!

JE N'ARRIVE PAS À Y CROIRE... C'EST FOU QUE CE GENRE DE CHOSE ARRIVE VRAIMENT...

SON ARÔME TOMBE À TORRENTS DEPUIS LE VERRE, COMME UNE PLUIE BIENFAISANTE...

IL EST RESTÉ EN VIE PENDANT 140 ANNÉES, AU POINT D'ÊTRE ENCORE JEUNE...

ET NÉANMOINS, TOUTES CES ANNÉES OÙ IL A SURVÉCU SE SONT GRAVÉES SUR SES TRAITS...

EST LE
PHÉNIX !

À L'ENDROIT VERS LEQUEL CE PHÉNIX VOLE...

C'EST SÛR QU'IL Y A QUELQUE CHOSE...

INVITE LES GENS À UN VOYAGE QUI FRANCHIT L'ESPACE ET SOUMET LE TEMPS...

UN VIN VRAIMENT REMAR- QUABLE...

JE NE POURRAI PLUS REVENIR EN ARRIÈRE...

SI JE M'ENGAGE SUR CE "CHEMIN", À LA POURSUITE DU PHÉNIX...

Vraiment, merci beaucoup.

Pas besoin de nous remercier. Ici, c'est ton autre chez toi.

Grâce à vous tous, je peux rapporter plein de cadeaux souvenirs.

#244 *À présent, un doux baiser au toi de mes souvenirs*

car c'est le foyer de ce breuvage.

Non, en fait... Bordeaux représente la même chose pour tous les amoureux du vin...

OUI.

OH ?

OÙ EST MARIE ?

EN TANT QUE NÉGOCIANT, ET EN TANT QUE PÈRE.

M. HAYAMA...

SHI-ZUKU.

LE FAIT D'AVOIR PU TE RENCONTRER ME PERMET À MOI AUSSI DE REPARTIR À ZÉRO...

...

ELLE CHOISIT PEUT-ÊTRE UN SOUVENIR ?

ELLE ÉTAIT AVEC NOUS ENCORE À L'INSTANT...

J'Y VAIS. MALHEU-REUSE-MENT, C'EST DÉJÀ L'HEURE.

MES AMITIÉS À MARIE.

OUI.

AH BON...

Cette place est libre, monsieur ?

Oui...

je vous en prie.

89

EMMÈNE-MOI AU JAPON AVEC TOI!!

UNE FILLE AVEC QUI TU AS PASSÉ LA NUIT, NOOON ?

MAIS COMMENT ÇA ? C'EST TROP VACHE DE PARTIR EN LAISSANT...

MA... MARIE !

EUH, NON, ÇA...

AH BON, ON A PASSÉ LA NUIT ENSEMBLE ?

QU'EST-CE QUE TU FAIS ICI ?!

JE VAIS VOIR MAMAN, À PARIS... ALORS JE ME SUIS ARRANGÉE POUR T'ACCOMPAGNER JUSQU'À L'AÉROPORT CHARLES DE GAULLE.

HA HA HA HA ! JE RIGOLE !

TOUT LE MONDE ÉTAIT GENTIL ET AGRÉABLE...

MAIS... ET IL Y A EU QUELQUES SOUCIS...

ET ALORS... COMMENT C'ÉTAIT, BORDEAUX ?

AH... AH BON !

MERCI...

AH... CE VOYAGE, C'ÉTAIT COMME UNE VISITE À MON VILLAGE NATAL.

C'ÉTAIT UN CRU IN- CROYABLE.

GRÂCE À TOUT ÇA, J'AI PU OBTENIR CECI.

QUI FAIT PENSER QUE LE VIN EST INCROYABLE.

NON, C'EST PEUT-ÊTRE PLUS JUSTE DE DIRE QUE C'ÉTAIT UN CRU...

C'EST VRAI.

...

OH ? POURQUOI ?

AU FOND, JE PENSAIS QUE C'ÉTAIT UN PEU RIDICULE.

EN FAIT, MOI, QUAND J'AI DIT QUE J'AIDERAIS PAPA DANS SON TRA- VAIL...

C'EST RIDICULE, NON ?

JE NE PEUX PAS LE NIER...

ET C'EST UN COMMERCE OÙ ON TRAITE AVEC CES MALADES.

BEN, PARCE QUE POUR UNE SIMPLE BOUTEILLE DE VIN, LES GENS SE METTENT DANS TOUS LEURS ÉTATS...

PAPA AVAIT RAISON.

MAIS C'EST POUR ÇA QUE JE ME SUIS BIEN FAIT AVOIR DANS CETTE HISTOIRE DE CONTREFAÇONS VENDUES BON MARCHÉ.

ET PARFOIS, CERTAINS PAYENT MÊME DES MILLIONS DE YENS, NON ?

JE SUIS PAREILLE...

MAIS TU VOIS, MAINTENANT C'EST DIFFÉRENT.

OUI... EN PENSANT QUE CE LIQUIDE COULEUR BRIQUE ROUGE...

AVAIT ATTENDU PLUS DE CENT ANS POUR CET INSTANT-LÀ...

J'AI RES- SENTI UNE ÉMOTION IMPOSSIBLE À EXPRIMER PAR DES MOTS.

QUAND J'AI BU LE CHÂTEAU LÉOVILLE 1870...

J'AI CONSIDÉRÉ AVEC ENVIE LES GENS QUI CONSACRENT TOUTE LEUR VIE À UN SIMPLE VIN.

J'AI SINCÈREMENT PENSÉ QUE MOI AUSSI, JE VOULAIS DEVENIR COMME ÇA...

POUR LA PREMIÈRE FOIS...

...

REGARDER EN ARRIÈRE ?

J'AI BIEN SÛR ÉTÉ ÉMU PAR SON ÉNERGIE VITALE SEMBLABLE À CELLE DU PHÉNIX...

MOI, QUAND J'AI BU CE VIN...

MAIS CE QUI A COMPTÉ PLUS QUE TOUT, C'EST QUE POUR LA PREMIÈRE FOIS J'AI PU "REGARDER EN ARRIÈRE".

OUI...

JUSQU'ICI, J'AVAIS DÉSESPÉRÉMENT SUIVI LES TRACES D'UN HOMME QUI PARAISSAIT IMPOSSIBLE À ÉGALER.

QUI S'ÉLOIGNAIT DÈS QUE J'AVAIS L'IMPRESSION DE LE REJOINDRE...

DEVANT LUI S'ÉTENDAIT UN CHEMIN SANS FIN...

J'ÉTAIS À LA POURSUITE D'UN MIRAGE IMPOSSIBLE À RATTRAPER.

J'AI ENFIN RÉALISÉ...

MAIS QUAND J'AI BU CE LÉOVILLE...

ABANDONNER CE DUEL.

À CAUSE DE CETTE IMPRESSION, J'AVAIS COMMENCÉ À ME DIRE QU'IL VAUDRAIT PEUT-ÊTRE MIEUX...

ÉTÉ PAREIL POUR MON PÈRE.

ÇA A PEUT-ÊTRE...

CE VIN A ENSEIGNÉ À REGARDER EN ARRIÈRE.

À LUI QUI DANS SA JEUNESSE N'AVAIT CESSÉ, TÉMÉRAIRE, DE COURIR EN REGARDANT DROIT DEVANT...

CE CRU, QUI SEMBLE L'INCARNATION MÊME DE L'HISTOIRE DU VIN, LUI A PEUT-ÊTRE APPRIS CE QUE SIGNIFIE...

NE PAS UNIQUEMENT FONCER VERS L'AVANT AU GRÉ DE SES ASPIRATIONS, MAIS ÉGALEMENT PRENDRE SOIN DE SON PASSÉ, EN TANT QU'UNE DE SES RICHESSES.

PAPA A DIT
QUE CE VIN ÉTAIT
CELUI QUI LUI
AVAIT MONTRÉ
LA VOIE...

ET C'EST
POUR ÇA QU'IL A
CHOISI UNE VIE OÙ,
DORÉNAVANT, IL
LAISSERAIT SOUS
FORME DE "CHEMIN"
CHACUN DES PAS
QU'IL FERAIT.

UN CHEMIN
SE CONSTRUIT
LÃ.

JE T'AC-
CUEILLERAI
AVEC
PLAISIR !

OUI,
BIEN
SÛR !

JE NE
SUIS
ENCORE
JAMAIS
ALLÉE AU
JAPON.

DIS...
JE SUIS
À MOITIÉ
JAPONAISE,
MAIS...

JE
POUR-
RAIS
VENIR TE
VOIR
?

MERCI
POUR TOUT
JUSQU'ICI,
MARIE.

MH.

!

TU NE
T'ENDORMIRAS
PAS PARCE
QUE TU AS
TROP BU, OK
?

ALORS
CETTE FOIS,
AU MOMENT
"M"...

Au revoir,
Shizuku* !

À la
prochaine fois* !

E...
EUH...

ZI
M

GAAA

*N.D.T. : en français dans le texte

MON-
SIEUR...

QUE DIRIEZ-
VOUS D'UN
CHAMPAGNE,
EN CADEAU
SPÉCIAL
?

MAIS AVANT
ÇA, UN VERRE
POUR ME
REMONTER !

DU VIN,
DU VIN !

JE M'OCCUPE
DU BOULOT
QUI S'EST
ACCUMULÉ...

BON, UNE
FOIS DE
RETOUR...

ET JE
BOSSE
À FOND !

OOH !

MAKI !

CHUT !

PARCE QUE ÇA, C'EST UN VIN DE LA PREMIÈRE CLASSE ! ♡

MERCIII, J'AC-CEPTE !

BON, ALORS JE NE ME GÊNE PAS...

VU QUE JE VAIS EN BOIRE AUSSI, COMME FUTURE RÉFÉ-RENCE...

BIEN SÛR !

SÉ-RIEUX ?! JE PEUX ?

MMH... CET ARÔME...

CETTE BELLE TEXTURE DES BULLES DÉLICATES COMME DU VELOURS, ET CETTE SOLIDE MINÉRALITÉ...

ÇA M'ÉVOQUE UNE DEMOISELLE PARISIENNE UN PEU APPRÊTÉE, QUI SE GRANDIT GRÂCE À DES TALONS HAUTS, MARCHANT SUR LES CHAMPS-ÉLYSÉES...

*N.D.T. : environ 52 euros

À
BORDEAUX...

À BIENTÔT...

#245 Célébrez bien haut, et éclaboussez d'un accueil chaleureux

SHIZUKU
KANZAKI...

EST TOUT
JUSTE DE
RETOUR DE
BORDEAUUUX !

HA
HA
HA
HA !

MAIS J'AI
LA GNIAQUE
ET JE VAIS
BOSSER À
FOND, HEIN
?

TIP
ピッ

TOP
ピッ

PARDON
DE M'ÊTRE
ABSENTÉ
SI LONG-
TEMPS...

HAA,
C'ÉTAIT
SUPER...

LA PROCHAINE FOIS, JE VAIS FAIRE LA SURPRISE DE SA VIE À L'AUTRE BINOCLARD PRÉTENTIEUX...

HUMPF

PLUTÔT MOURIR QUE D'ABANDONNER EN ROUTE LE DUEL POUR LA QUÊTE DES APÔTRES, ALORS...

ET AU FAIT, J'AI PRIS MA DÉCISION.

BLUES

EH ?

ON DIRAIT UNE VEILLÉE FUNÈBRE, LÀ...

EU... EUH, QU'EST-CE QUI VOUS ARRIVE ?

MÔSSIEU L'INSOU-CIANT !

T'ES ENFIN DE RETOUR ?!

ARGH ! CHOSUKE !

PENDANT TON ABSENCE, IL S'EST PRODUIT UN CATA-CLYSME !

AH, BEN... J'AVAIS OUBLIÉ MON CHARGEUR ET JE N'AVAIS PLUS DE BATTERIE...

HEIN ?

POURQUOI T'AVAIS COUPÉ TON PORTABLE ?!

IL S'EST PASSÉ QUOI ?

PARDON ?

IL EST QUESTION D'UNE FUSION ENTRE LES BIÈRES TAIYO ET LES BIÈRES TEIKOKU.

T'ES LENT AU DÉMARRAGE...

HEEEIN ?!

MAIS C'EST QUOI, CETTE HISTOIRE ?!

T'ES PAS REMIS DU DÉCALAGE HORAIRE...

UNE FU-SION...

ハビッゲェム

ÉVEIL !

AVEC LA CRISE, LES ALLIANCES TACTIQUES PROGRESSENT DANS TOUTES LES INDUSTRIES.

POF

C'ÉTAIT PAS UN DE NOS PIRES CONCURRENTS ?!

NON... LE PROBLÈME PLUS GRAVE...

ET MOI, SURTOUT ! ILS VONT METTRE FIN À MON CONTRAT D'INTÉRIM !

OH ! NE PARLE PAS DE MALHEUR...

ILS VONT FAIRE DES MÉGA RÉDUCTIONS DE PERSONNEL... RESTRUCTURA-TION POUR LES SENIORS ET TOUT...

ALORS...

C'EST QU'AUX BIÈRES TEIKOKU AUSSI, IL Y A...

UN DÉPARTEMENT VINS !

M... MALHEU-REUSE-MENT...

C'EST FOUTU ! ON VA SE FAIRE DÉMOLIR !

ON VIENT À PEINE D'OUVRIR ET LE PER-SONNEL...

DAAM

QUI FÊTE CETTE ANNÉE SES 60 ANS D'EXISTENCE, ET IL PARAÎT QU'ILS SONT TRENTE À Y BOSSER !

EN PLUS, C'EST UN VÉTÉRAN DE L'INDUSTRIE...

ET... ET NOUS...

JE VEUX PAAAS !!

RETOURNER MAINTENANT BOSSER DANS LA BIÈRE...

MOI QUI REVENAIS DE BORDEAUX AVEC UNE PATATE D'ENFER !

O... ON NE PEUT PAS SE DÉBROUILLER POUR ÉVITER ÇA ?!

VU QU'ON EST UNE BRASSE-RIE...

EUH... TU AURAS BEAU ME LE CLAMER DE TOUTES TES FORCES...

MONTRER QU'ON A UNE RAISON D'ÊTRE, OU PLUTÔT...

ALLEZ, IL FAUT FAIRE QUELQUE CHOSE...

NE... NE BAISSEZ PAS LES BRAS COMME ÇA...

COMME JE NE SUIS APRÈS TOUT QU'UN EMPLOYÉ...

ÇA NE M'EST PAS ÉGAL, MAIS...

ÇA NE VOUS FAIT RIEN, CHEF ?! DE VOUS FAIRE METTRE AU PLACARD ?! OU VIRER ?!

TAP TAP
トコト

PARDON ?

フーン
HUMPF

MARCHONS EN TERRITOIRE ENNEMI !

OK !

À UN DUEL DE DÉGUSTATION À L'AVEUGLE, 5 CONTRE 5 !

OUAIS, ON VA FAIRE IRRUPTION ET DÉFIER LES MECS DU DÉPARTEMENT VINS ADVERSE...

ENCORE UNE IDÉE ABSURDE...

HA HA HA HA HA !

ET C'EST EN FACE QU'ILS SE FERONT ÉCRASER !

ENSUITE, MÊME SI LA SIGNORINA ET KIDO PERDENT, ÇA FERA TOUJOURS 3 À 2 POUR NOUS, DONC ON GAGNERA.

EN RÉSERVE

MOI ?

JE SUIS UN BOULET...

TCHOC

ÇA NOUS FAIT 3 VIC-TOIRES.

ET JE NE PENSE PAS QUE LE CHEF PERDE NON PLUS.

JE VAIS ÊTRE CASH, C'EST SÛR À 100 % QUE KANZAKI ET MOI ON GAGNERA...

C'EST QUOI, CETTE STRATÉGIE ?

SILENCE

À MA DREAM TEAM ?

VOUS AVEZ DES OBJEC-TIONS PAR RAPPORT...

EH BEN QUOI ? VOUS N'AVEZ PAS CONFIANCE ?

VOUS AURIEZ UNE MINUTE ?

AVEC MOI, CHOSUKE HONMA, COMME GÉNÉRAL, ON VA LEUR BOTTER LES FESSES !

PAS D'INQUIÉTUDE ! ÇA A BEAU ÊTRE UN DÉPARTE-MENT VINS DE TRADITION...

C'EST PAS UN TOURNOI DE JUDO PAR ÉQUIPE, D'ABORD.

IL EST IMPOSSIBLE, LUI...

GRR

VOUS AMENER EXPRÈS ICI ?

EUH, QU'EST-CE QUI PEUT BIEN...

AVEZ-VOUS ENTENDU PARLER DE LA FUSION ?

OU... OUI.

MONSIEUR SHIMAMOTO !

C'EST À CE PROPOS QUE JE SUIS VENU VOUS FAIRE UNE REQUÊTE.

EN EFFET...

ET JE VIENS D'APPRENDRE QUE L'AUTRE PARTIE A ELLE AUSSI UN DÉPARTEMENT VINS...

ENTREZ DONC.

UNE REQUÊTE ?

M. NAKAHARA, LE CHEF DU SERVICE RESTAURATION !

JE VOUDRAIS ABSOLUMENT QUE VOUS ACCEPTIEZ MA PROPOSITION !

AH... OUI.

CHEF KAWARAGE, C'EST LE MOMENT DE NOUS EN SORTIR EN NOUS SERRANT LES COUDES !

OUI.

COMME TOUJOURS, NOTRE CHEF SE LAISSE FAIRE.

IL S'EST FAIT AVOIR, HEIN ?

B... BIEN SÛR...

SON ENNEMI HÉRÉDI-TAIRE...

116

SALLE DE CONFÉRENCE

SERVIR LE VIN LORS DU DÎNER DE LA PREMIÈRE RÉUNION ENTRE LES ADMINISTRATEURS DES DEUX SOCIÉTÉS ?

AU DÉPART, SEUL LEUR DÉPARTEMENT VINS, QUI A DE L'ANCIENNETÉ, DEVAIT S'OCCUPER DE TOUTES LES BOISSONS.

OUI...

IL A ÉTÉ DÉCIDÉ QUE NOTRE SERVICE DE RESTAURATION ET CELUI DES BIÈRES TEIKOKU SE CHARGERAIENT CONJOINTEMENT DU REPAS, MAIS...

VOUS DEVRIEZ TOUS POUVOIR, MÊME APRÈS LA FUSION...

AUTREMENT DIT, SI VOUS ARRIVEZ À SURPRENDRE NOS INTERLO-CUTEURS...

QU'ON LAISSE LE NÔTRE FOURNIR AU MOINS UNE PARTIE DES VINS.

J'AI TOUTEFOIS NÉGOCIÉ AFIN...

CONTINUER À TRAVAILLER DANS LE VIN SOUS UNE FORME OU UNE AUTRE, NE CROYEZ-VOUS PAS ?

CO... COMMENT ?!

CH... CHEF NAKA-HARA...

JE PENSAIS BIEN QUE VOUS DIRIEZ CELA.

JE VOUS REMERCIE.

JE VOUS ASSURE QUE NOUS RÉPON-DRONS À VOS ATTENTES.

C'EST DE VOUS FAIRE ATTRIBUER LE CHOIX DU VIN EFFERVESCENT QUI SERVIRA À PORTER LE TOAST.

MAIS LE MIEUX QUE J'AIE PU OBTENIR...

SANS MÊME PARLER DU FAIT QUE LEUR DÉPARTEMENT VINS A DE TRÈS BONS RÉSULTATS...

COMME LEUR ENTREPRISE EST D'UNE PLUS GRANDE ENVERGURE QUE LA NÔTRE...

PAS VRAI, LES GARS ?!

RIEN QU'AVEC NOTRE EFFER-VESCENT, ON VA LES ENVOYER BULLER !

MAIS NON, C'EST DÉJÀ SUFFISANT.

CE SONT DES GENS SIMPLES... OU SIMPLETS ?

POUR QUE CE JEU DE MOT RINGARD LES GALVANISE...

ON LE FAIT, YEAAH !

OUAiiis!

BON, C'EST BIEN JOLI TOUT ÇA, MAIS...

C'EST VRAI.

CEUX QUI SONT INCROYABLEMENT CHER ONT DES BULLES DÉLICATES ET UNE SAVEUR ÉLÉGANTE, MAIS...

DÈS AU-DELÀ DE CES CRITÈRES, BEAUCOUP METTENT EN ÉVIDENCE LES DIFFÉRENCES DE GOÛTS PERSONNELS.

COMME POUR LES EFFERVES-CENTS, LES DISTINCTIONS NE SONT PAS FACILES À FAIRE...

D'EN FOURNIR POUR TOUTES CES PERSONNES UN SI BON QU'IL EST SURPRE-NANT.

C'EST UNE TÂCHE VRAIMENT ARDUE, AVEC CE BUDGET...

CE N'EST QUAND MÊME PAS ?

MOI AUSSI, J'AI L'IMPRES-SION QUE LA TEMPÉRATURE DE LA PIÈCE A BRUSQUEMENT BAISSÉ...

J... J'AI EU UN FRISSON DANS LE DOS...

QUOI DONC, SIGNORINA ?

...

ZIIIM

BRR

À PART LE CHAMPAGNE ET LE CRÉMANT, IL Y A QUOI D'AUTRE COMME VINS EFFERVESCENTS, DÉJÀ ?

ÇA SUFFIT, LÀ !

TOI, MAIS QUAND VAS-TU ENFIN...

CRAAC

JE NE LE DIRAI QU'UNE FOIS, ALORS ENFONCE-TOI BIEN ÇA DANS TA TÊTE DE LINOTTE !

OU... OUI.

PA... PARDON...

VOILÀ POURQUOI ON RISQUE DE SE FAIRE DÉMOLIR !

ET JE VAIS T'EXPLIQUER ÇA EN ME LIMITANT À CEUX AYANT DÉJÀ UN CERTAIN NIVEAU, SUSCEPTIBLES D'ÊTRE SERVIS EN CETTE OCCASION, ET EN ÉCARTANT LES PÉTILLANTS ET AUTRES.

LE MOT "EFFERVESCENT" REGROUPE DES VINS DE TOUTES SORTES, ET PRODUITS DANS DE NOMBREUSES RÉGIONS DU MONDE...

OK !

CETTE APPELLATION EST LIMITÉE AUX CRUS PRODUITS DANS LA RÉGION CHAMPAGNE SELON UNE MÉTHODE TRADITIONNELLE.

CEUX PRODUITS SELON LA MÊME MÉTHODE MAIS DANS UNE AUTRE RÉGION DE FRANCE SONT APPELÉS...

CRÉMANTS.

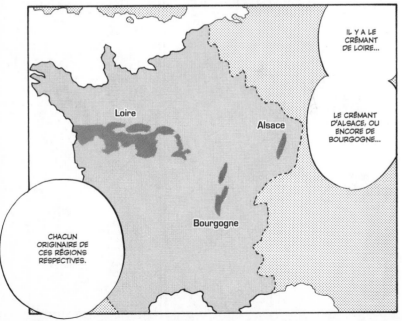

IL Y A LE CRÉMANT DE LOIRE...

LE CRÉMANT D'ALSACE, OU ENCORE DE BOURGOGNE...

Loire

Alsace

Bourgogne

CHACUN ORIGINAIRE DE CES RÉGIONS RESPECTIVES.

MI ♥ ~ HEE

JE LE SAVAIS VAGUEMENT, ÇA. VU QUE J'EN AI DÉJÀ FAIT UNE DÉGUSTATION COMPARATIVE EN CORÉE...

HUM... HUM...

MI-HEE, ELLE ÉTAIT JOLIE ET ELLE M'APPRENAIT GENTIMENT...

LES EFFERVESCENTS PRODUITS EN ESPAGNE SONT APPELÉS "CAVA"...

AHEM

ET L'ASTI DU PIÉMONT, AU NORD-OUEST, SONT CÉLÈBRES.

LE PROSECCO DE VÉNÉTIE, AU NORD-EST DU PAYS...

Vénétie

Piémont

ET EXISTENT DEPUIS À PEU PRÈS AUSSI LONGTEMPS QUE LE CHAMPAGNE.

SE NOMMENT "SPUMANTE", LE MOT SIGNIFIANT "MOUSSEUX" DANS CETTE LANGUE.

MAIS LES ITALIENS, EUX...

OH... ♡

KIDO S'Y CONNAÎT MIEUX QUE TOI.

LE "PENINA" SLOVÈNIEN... ET APPAREMMENT, LES EFFERVES- CENTS ALLEMANDS S'APPELLENT "SEKT".

IL Y EN A D'AUTRES ENCORE.

MIYABI.

ALORS QU'ON S'ÉTAIT PAS VUS DEPUIS LONGTEMPS.

CO... COMMENT DIRE, TU ES DRÔLEMENT AGRESSIVE ENVERS MOI AUJOURD'HUI...

PENDANT QUE LA SURVIE DU DÉPARTE- MENT VINS ÉTAIT EN DANGER...

NOOORMAL.

À BOR- DEAUX ?!

TU TE BUVAIS DU VIN BIEN TRANQUILLE AVEC UNE BLONDE, NON...

QU... QU'EST-CE QUI TE LE FAIT DIRE ? C'EST...

IL NE SAIT PAS Y FAIRE...

IL EST TRANSPA- RENT...

IL A LE REGARD FUYANT...

HEIN ?

125

M... MAIS NON ! À PARLER DE PLEIN DE CHOSES, C'EST TOUT UN ROMAN QUI...

GRR ! À CHAQUE FOIS QUE MÔSSIEUR VA À L'ÉTRANGER, IL EMBALLE UNE FILLE DU COIN !

ON SE REPLIE...

IL ÉTAIT SUR TON ÉPAULE, MAIS ENFIIIN...

UN CHEVEU BLOND, PAS VRAI ?

ET C'EST QUOI, ÇAAA ?

AAAH !

UN ROMAN ?! PAS DU GENRE MÉLO, J'ESPÈRE, HEIN ?!

ÇA S'AN-NONCE MAL...

LE TRAVAIL D'ÉQUIPE PART DÉJÀ EN SUCETTE...

HA HA HA !

#245 Fin

#246 *Le bonjour donné par un matin frais ressemble au bruissement des ailes d'un ange*

IL Y A UN LARGE ÉVENTAIL DE VINS.

HUUUM...

SOUS LE MÊME TERME D'"EFFERVES-CENT"...

BAH...

C'EST PAREIL POUR LES AUTRES SORTES DE VINS, MAIS ENFIN...

ON NE PEUT PAS DÉCIDER QUEL EST LE MEILLEUR, MÊME DANS UNE FOURCHETTE DONNÉE DE PRIX.

ET COMME DÉJÀ, POUR LE SEUL CHAMPAGNE, IL Y EN A DE TOUTES SORTES...

ALORS, SI ON NE JOUE PAS SUR LA SAVEUR, QUEL CRITÈRE ON VA CHOISIR ?

CAR CELA RESTE UNE AFFAIRE DE GOÛT.

ET PUIS, TOUT LE MONDE NE PEUT PAS AVOIR LA MÊME IMPRESSION SUR UN VIN...

L'IMAGE.

DONT L'IMAGE CORRESPONDE À L'OCCASION OÙ IL SERA SERVI.

IL FAUT CHERCHER UN EFFERVESCENT...

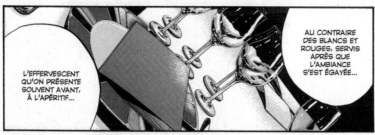

L'EFFERVESCENT QU'ON PRÉSENTE SOUVENT AVANT, À L'APÉRITIF...

AU CONTRAIRE DES BLANCS ET ROUGES, SERVIS APRÈS QUE L'AMBIANCE S'EST ÉGAYÉE...

QUI AURA UNE GRANDE INFLUENCE SUR LE COURS DE LA RÉUNION, NON ?

SERA PEUT-ÊTRE UN ÉLÉMENT CLÉ...

ET DONC, QUELS SONT LES COMPOSANTS QUE NOUS VOULONS DANS CET EFFERVESCENT-CI ?

C'EST UN BON POINT DE VUE.

JE VOUDRAIS DES ARÔMES FRAIS COMME UN TONIQUE, QUI FONT RETOMBER LA TENSION NERVEUSE.

QUI VONT ESSAYER DE SE SONDER LES UNS LES AUTRES, ALORS...

HUUM... C'EST UNE RÉUNION DES ADMINISTRA-TEURS DE GRANDES EN-TREPRISES...

D'ABORD, ON VEUT SE RELAXER.

OUI...

TOUT À FAIT ! S'IL ÉTAIT EXCESSIVEMENT DUR OU DONNAIT UNE TROP FORTE IMPRESSION DE MATURITÉ, IL FAUDRAIT S'EN FAIRE POUR L'ISSUE DE LA RÉUNION !

YES, SIR ! NOBU !

N'EST-IL PAS, KANE ?

SI J'ÉTAIS UN PONTE, JE VOUDRAIS QU'ON M'ÉPARGNE LES EFFER-VESCENTS EXIGEANTS...

*Amour

*N.D.T. : écrit avec les kanji de "boire" et de "paix"

C'EST UN NOUVEAU BUSINESS QUI VA COM-MENCER, PAS VRAI ?

AVEC LA FUSION DE CES DEUX SOCIÉTÉS...

POUR MOI, CE SERAIT BIEN QU'IL DONNE UNE IMPRESSION DE JEU-NESSE.

COOL, ÇA !

MIEUX VAUT PEUT-ÊTRE DES BULLES DÉLICATES ET DOUCES, PLUTÔT QUE CELLES QUI PICOTENT IN-TENSÉMENT.

NOUS AVONS À PEU PRÈS CONSTRUIT UNE IMAGE, HEIN ?

C'EST L'INVERSE DE D'HABITUDE, HEIN ?

AH, OUI...

SHIZUKU, APRÈS AVOIR ENTENDU ÇA...

QU'EST-CE QUE CELA DONNERAIT SI TU L'EXPRIMAIS EN IMAGINANT BOIRE UN VIN ?

UN VENT FRAIS, COMME TONIFIANT...

LA FRAÎCHEUR DU CITRON VERT ET DE LA MÉLISSE, PAR EXEMPLE...

ET IL Y A UNE AC-CESSIBILITÉ...

OÙ, SANS RIEN D'EXIGEANT, LE VIN LUI-MÊME VIENT TENDRE LA MAIN POUR QU'ON LA SERRE...

LES BULLES SONT DOUCES, COMME LE BRUISSEMENT DES AILES D'UN ANGE...

COMME LA LUMIÈRE DU MATIN PASSANT AU TRAVERS D'UN RIDEAU DE DENTELLES...

C'EST LE DÉBUT D'UNE JOURNÉE DONT ON SEMBLE POUVOIR ATTENDRE QUELQUE CHOSE DE BIEN.

IL FAUDRAIT UN MOYEN DE DÉGUSTER D'UN COUP JUSTE DES EFFERVESCENTS...

CHARMANT... HAA, J'AI ENVIE D'EN BOIRE.

QUOI DONC, SHIZUKU ?

AH !

MÊME POUR DES DÉGUSTATIONS, LE BUDGET...

MAIS COMMENT LE CHERCHER ?

UNE MANIFESTATION ?

ET LÀ...

EN-CORE... CELLE-LÀ...

QUAND JE SUIS REVENU DE FRANCE, JE SUIS TOMBÉ PAR HASARD DANS L'AVION SUR MAKI YAMASHITA, L'AGENT DE BORD.

C'EST UNE DÉGUSTATION AFIN DE SÉLECTIONNER LES VINS QUE MA COMPAGNIE AÉRIENNE VA SERVIR EN CLASSE AFFAIRES SUR LES LIGNES RELIANT LE JAPON ET L'EUROPE...

COMME CETTE FOIS IL SERA POSSIBLE DE DÉGUSTER 100 EFFERVESCENTS EN MÊME TEMPS... SI TU VEUX, TU POURRAIS PARTICIPER ?

ALORS C'EST DÉCIDÉ !

OK...

ON VEUT Y ALLER ! ON Y VA ! ON IRA !!

COMME TU TRAVAILLES DANS UN DÉPARTEMENT VINS, JE POURRAIS T'AVOIR UNE INVITATION EN TANT QUE DÉGUSTATEUR...

SÉRIEUX ?

OH ?

ANA HOTEL TOKYO

BIENVENUE À TOUS !

LES PARTICIPANTS À CE GENRE DE MANIFESTATIONS SONT DES SOMMELIERS, DES IMPORTATEURS ET AUTRES...

ET ON DIRAIT QUE DES EMPLOYÉS FOUS DE VIN SE SONT MÊLÉS À EUX.

IL Y A UN MONDE ! CE SONT TOUS DES DÉGUS-TATEURS ?

WOOW !

L'IDENTITÉ DE TOUS LES VINS EST DISSIMULÉE...

VEUILLEZ DONC INDIQUER LEUR NUMÉRO SUR LA FICHE D'ÉVALUATION.

MAIS NOOON... VENEZ, ÇA A DÉJÀ COMMENCÉ.

MERCI D'AVOIR ACCEPTÉ NOTRE REQUÊTE DÉRAI-SONNABLE.

PRENEZ UN VERRE ET DÉGUSTEZ EN TOUTE LIBERTÉ.

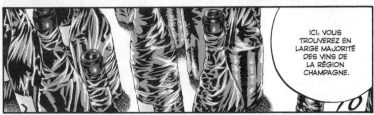

ICI, VOUS TROUVEREZ EN LARGE MAJORITÉ DES VINS DE LA RÉGION CHAMPAGNE.

POUR EN ARRIVER LÀ, LE CHAMP A ÉTÉ RÉDUIT DE 3 000 À 100 BOUTEILLES PAR UN EXAMEN SUR DOSSIER...

ET IL SEMBLE QUE CELA AIT ÉTÉ DIFFICILE.

ET CEUX DU "NOUVEAU MONDE", USA ET AUTRES, LÀ-BAS DE L'AUTRE CÔTÉ.

CEUX DES AUTRES PAYS EUROPÉENS SE TROUVENT À PARTIR DE CETTE LIGNE...

EN PASSANT, LEURS PRIX SE TROUVENT DANS UNE FOURCHETTE D'ENVIRON 3 000 À 4 000 YENS* SUR LE MARCHÉ.

FAISANT DES LIAISONS AVEC L'EUROPE, LE VIN EST VITAL.

AH, CERTAINE-MENT. CAR POUR UNE COMPAGNIE AÉRIENNE...

*N.D.T : entre 31 et 42 euros

UN FOIE EN FER...

LAISSONS LES ABO-MINABLES HOMMES BOURRÉS...

YAAAAAAAH

NON, JE VAIS BOIRE ! MÊME UNE SEULE GORGÉE, MAIS JE VAIS TOUS LES BOIRE !

JE NE VAIS PAS ME LAISSER BATTRE !

MOI AUSSI !

BIEN ÉVI-DEMMENT ! IL FAUT RECRACHER DANS LES POTS !

SI ON BOIT TOUT ÇA, ON FINIRA PAR ROULER SOUS LA TABLE !

HUUUM... MAIS 100 BOUTEILLES, C'EST ÉNORME.

UN CHALLENGE POUR LES LIMITES !

ILS BOIVENT VRAIMENT.

BLINDÉÉÉ...

BOURRÉÉÉ...

136

LE 27.

DIS, SHIZUKU...

ET TOI, CHOSUKE, COMME FRANÇAIS ?

EXAC-TEMENT PAREIL QUE MOI !

LE 88.

T'AS CHOISI QUOI, COMME ITALIEN ?

SURTOUT LE 88, ON NE CROIRAIT PAS QU'IL COÛTE DANS LES 3 000 OU 4 000 YENS.

MAIS C'EST QU'ILS ÉTAIENT LARGEMENT AU-DESSUS DU LOT, CES DEUX-LÀ...

N° 88

MERDE !

MÊME PAS RIGOLO !

EH OUAIIS, C'EST UN...

AH... C'EST CELUI-CI. ♡

MOI, J'AI DEVINÉ TOUT DE SUITE LEQUEL ÉTAIT LE 27 ITALIEN.

CA'DEL BOSCO
FRANCIACORTA
CUVÉE PRESTIGE !

FRANCIACORTA
Ca'del Bosco

POUR QUI TU ME PRENDS, DIS ?!

POUR UN TYPE DE MON NIVEAU, C'EST FASTOCHE !

ARGH ! ILS L'ONT DÉCOUVERT !

DIRECT DANS LE MILLE !

OOH... C'EST VRAI. T'ES TROP FORT, CHOSUKE.

IL EST DOUX, VRAIMENT...

ET EN CONTRE-PARTIE...

JE VOUDRAIS LES VIRER, CES DEUX-LÀ...

SON ASSEMBLAGE DOIT COMPOR-TER 75 % DE CHARDONNAY...

MMH... CET ARÔME DE FRUITS TROPI-CAUX...

PRENDS ENCORE UN VERRE !

SA GRÂCE ET SON SCINTILLEMENT PLEIN DE VIVACITÉ, RAPPELANT...

LA FONTAINE DE TREVI, FONT SON CHARME.

PAS SANS AUTORISA-TION...

MAIS TU FAIS QUOI ?!

AH VOUI ! ALLEZ, ON DÉCOUVRE LE 88 AUSSI !

T'ES ROND COMME UN PETIT POIS... TU N'ARRÊTES PAS DEPUIS TOUT À L'HEURE.

C'EST BIEN DE TOÂ... CHOCHUKE.

GÉNIAL...

C'EST UN PETIT PRODUCTEUR, ET CE QU'ON APPELLE UN "RM"...

MOI AUSSI, J'AI VOTÉ POUR LUI, MAIS C'EST UN VIN DE DINGUE !

UN GRAND CRU AMBONNAY CUVÉE TRADITION DU DOMAINE HENRI BILLIOT !

AAAH !

C'EST QUOI, UN RM ?

QUOI, ENCORE ? TOUUUJOURS, TOUUUJOURS PAREIL AVEC TOI...

OUCH

IL NE PRODUIT DU CHAMPAGNE QU'AVEC LE RAISIN DE SON VIGNOBLE...

C'EST L'ACRONYME DE "RÉCOLTANT MANIPULANT".

AUTREMENT DIT, SUR UNE PETITE ÉCHELLE.

LES PLUS CÉLÈBRES SONT MOËT ET CHANDON, OU ENCORE VEUVE CLICQUOT...

ET FAIT SON CHAMPAGNE EN GRANDE QUANTITÉ NON SEULEMENT AVEC SON RAISIN, MAIS AUSSI AVEC CELUI QU'IL ACHÈTE, PAR EXEMPLE À DES EXPLOITATIONS SOUS CONTRAT.

PAR OPPOSITION LE "NM", "NÉGOCIANT MANIPULANT" TIENT UN COMMERCE DE GRANDE ÉCHELLE...

PARFOIS DU MOËT DANS LES SUPÉRETTES.

AH, C'EST VRAI QU'ILS VENDENT...

UN CHAMPAGNE TOTALEMENT DÉLICIEUX ET PAS CHER.

QUAND ON TOMBE SUR LE BON, ON PEUT ALORS BOIRE...

IL Y EN A DE NOMBREUX ET ON TOMBE SOUVENT MAL, MAIS...

UN VIN "DE DOMAINE", EN BOURGOGNE.

UN RM RESSEMBLE À CE QU'ON APPELLE...

FASCINÉE

C'EST VRAI QU'IL EST GÉNIAL, CELUI-CI.

OUI...

IL EST CÉLÈBRE POUR ÊTRE UN ARCHÉTYPE DU RM, À L'EXCELLENT RAPPORT QUALITÉ-PRIX.

CE HENRI BILLIOT, LUI AUSSI, NE PRODUIT QU'UN NOMBRE INFIME DE BOUTEILLES, MAIS...

J'AI APPRÉCIÉ LES ÉCLABOUSSURES DE L'EAU...

PLEINE DE VIGUEUR, QUI SEMBLAIT BONDIR...

C'EST UN SOUVENIR DOUX-AMER MAIS NOSTALGIQUE...

MAIS J'AI EU UN PEU PEUR ET J'AI PLEURÉ...

VOILÀ COMMENT EST CE VIN.

OH, JE N'EN AI PAS ENCORE BU.

ザワッ
BLA BLA

QUOI ?

IL A L'AIR BON...

OH !

C'ÉTAIT DÉJÀ COMME ÇA DANS L'AVION.

MAIS...

COMMENT DIRE... J'AI L'IMPRESSION QUE ÇA SE TRANSFORME EN SIMPLE APÉRO...

C'EST VRAI ?!

IL PARAÎT QUE LE N° 88 EST TOP !

AH, LAISSEZ-MOI EN BOIRE AUSSI !

JE N'AI ENCORE PRIS QU'UN VERRE !

DÈS QUE SHIZUKU EST LÀ, VOILÀ LE RÉSULTAT, HEIN...

ANI HOTEL TOKYO

AVEZ-VOUS TROUVÉ UN EFFERVESCENT QUI CORRESPONDE À L'IMAGE QUE NOUS AVIONS DÉCIDÉE PAR AVANCE ?

ALORS, LES EN-FANTS ?

MOI PAREIL !!

D'AC-CORD !

OUI, JE CROIS QU'ILS NE CORRESPON-DENT PAS À NOTRE IMAGE.

POUR MOI, ILS ÉTAIENT TOUS UN PEU...

IL Y AVAIT PLEIN DE VINS VRAIMENT TRÈS BIEN, MAIS...

QU'Y A-T-IL, SHIZUKU ?

LÀ... J'AI SENTI SON ARÔME.

NOTRE PROCHAIN RECOURS...

C'EST BIEN ENNUYEUX. SI ON NE L'A PAS TROUVÉ EN GOÛTANT TANT DE CRUS À LA FOIS...

HEIN ?

!

DONT ON A CONSTRUIT L'IMAGE TOUS ENSEMBLE, COMME UNE MOSAÏQUE !

J'AI SENTI UN ARÔME PROCHE DE CET EFFERVESCENT SPÉCIAL ET IDÉAL...

C'EST DANS CE MAGASIN !

AUCUN DOUTE !

MAIS CE MAGASIN, C'EST...

HEIN ?!

#246 Fin

146

#247 Devant deux soleils qui pointent, les hommes lèvent leurs verres

J'AI SENTI UN ARÔME PROCHE DE CET EFFERVESCENT QU'ON A IMAGINÉ ENSEMBLE, VENANT DE CE MAGASIN !

OH... MAIS...

CE MAGASIN EST...

...

C'EST QU'IL Y A QUELQUE CHOSE.

SI SHIZUKU L'A DISCERNÉ...

ALLONS-Y, CHEF.

TU AS RAISON.

SI J'AI PU SAUVER MA TÊTE, C'EST AUSSI GRÂCE À SA SENSIBILITÉ INNÉE.

FAISONS-LUI CONFIANCE.

ILS N'AURAIENT PAS TRANSFORMÉ ÇA EN SIMPLE APÉRO, HEIN ?

CETTE BANDE DE ZOZOS...

AH LÀ LÀÀÀ...

ALORS QUE LE DÉPARTEMENT EST EN DANGER...

OÙ AVIEZ-VOUS BIEN PU PASS...

IL EST TARD !

C'EST NOUS, MME KAWAMATA !

VOUS NE PENSEZ QUAND MÊME PAS BOIRE JUSQU'À VOUS ÉCROULER...

SUR LE COMPTE DE LA BOÎTE, AVANT LA SUPPRESSION DE NOTRE DÉPARTEMENT ?!

VOYONS ! MAIS NON...

C... C'EST QUOI...

TOUS CES CARTONS ?!

PARMI CETTE GRANDE QUANTITÉ DE VINS.

ON VA SÉLECTIONNER LES "BULLES" POUR LA RÉCEPTION, DONT DÉPEND NOTRE DESTIN...

TOUT EST DU CHAMPAGNE ?

ALORS, ÇA...

HEIN ?

IL N'Y EN A PAS UNE SEULE BOUTEILLE.

NON...

?

QU'EST-CE QUE ÇA FAIT ?

BONSOIR...

REGARDE, SHIZUKU...

LA MANIÈRE DONT SONT ALIGNÉES LES PLAQUES.

DANS CE GENRE DE CAS, LE PLUS IMPOR-TANT EST À DROITE.

TU NE SAIS MÊME PAS ÇA ?

BIÈRES TEIKOKU

À DROITE, IL Y A LES BIÈRES TEIKOKU...

ET NOUS ON SE RETROUVE À GAUCHE, PAS VRAI ?

BIÈRES TAIYO

ET ALORS ?

MAIS MA GRAND-MÈRE DISAIT QU'ON DISPOSAIT LES POUPÉES POUR LE FESTIVAL** EN METTANT LES PLUS IMPORTANTES À GAUCHE.

HEEEIN ?

"ALLUMONS LES LANTERNES DE PAPIER" ET TOUT***...

PERRY, HARRIS*... GRR !

C'EST CLAIR QUE CE N'EST PAS UNE ALLIANCE À 50/50...

C'EST LA PREUVE QUE DANS LES FAITS, C'EST UN CONTRAT INÉGAL PROCHE DE L'ABSORPTION.

*N.D.T. : Matthew Perry et Townsend Harris sont les négociateurs du "Traité d'amitié et de commerce" (traité inégal) entre les USA et le Japon signé en 1858
**Festival des poupées/des pêchers, qui a lieu le 3 mars (voir tome 24)
***Paroles d'une chanson du festival *Ureshii Hinamatsuri* ("Heureux festival des poupées")

LA TRADITION JAPONAISE D'AUTREFOIS VOULAIT QUE LE CÔTÉ GAUCHE SOIT SUPÉRIEUR...

C'EST POUR ÇA QUE LE SADAIJIN*, MINISTRE DE GAUCHE, ÉTAIT PLUS IMPORTANT QUE L'UDAIJIN*, MINISTRE DE DROITE.

QUOÂ ?

ET C'EST POUR ÇA QU'AU KABUKI, LE KAMITE** EST À GAUCHE DE LA SCÈNE, EN FAISANT FACE AUX FAUTEUILS DES SPECTATEURS.

HAAA...

MAIS OUI !

*N.D.T. : postes de l'administration centrale japonaise (principalement du VIIᵉ au XIIᵉ siècle). **Endroit où se tiennent les personnages de haut rang

E... EN TOUT CAS, ON DIRAIT QU'AUCUN N'EST EN POSITION DE SUPÉRIORITÉ, HEIN ?

BAH, C'EST UNE QUESTION D'ÉDUCATION.

TU APPRÉCIES MÊME LE KABUKI, ALORS ?

HUM, SALE FILS À PAPA...

HAA...

C'EST CLAIR QUE LES AUTRES LE SONT, MAIS ENFIN...

EN CE QUI CONCERNE LES DÉPAR-TEMENTS VINS...

TSLIIIING

AVEC LA SURVIE DU DÉPARTE- MENT EN JEU...

JE SUIS NER- VEUSE.

COMMENÇONS NOUS AUSSI LES PRÉPARA- TIFS.

ON DIRAIT QUE TOUS LES ADMI- NISTRA- TEURS SONT ARRIVÉS.

OUPS ...

...

OUI...

LE VIN EFFER-VESCENT QUE VOUS ALLEZ DÉGUSTER D'ABORD...

A ÉTÉ SÉLECTIONNÉ PAR NOTRE DÉPARTEMENT VINS DES BIÈRES TAIYO.

MAIS COMME IL EST L'HEURE, VEUILLEZ VOUS PRÉPARER À PORTER LE TOAST.

EH BIEN, IL SEMBLERAIT QU'IL MANQUE ENCORE UN INVITÉ À L'APPEL...

VONT MAINTENANT AVOIR L'HON-NEUR DE VOUS LE SERVIR.

C'EST POUR CELA QUE SES EMPLOYÉS...

VEUILLEZ PARDONNER MON RETARD.

!

JUSTE, LE DÉPARTEMENT VINS DES BIÈRES TEIKOKU AVAIT DIT QU'IL NOUS FERAIT UNE PETITE SURPRISE...

ET DE NOUS EN RÉJOUIR D'AVANCE...

EUH... JE N'ÉTAIS PAS AU COURANT NON PLUS.

ÇA VEUT DIRE QUOI, CHEF ?!

...

C'EST JUSTE SHIZUKU QUI EST EN RIVALITÉ AVEC LUI, PERSONNEL-LEMENT...

NOUS N'AVONS PAS SPÉCIALEMENT DE MAUVAIS RAPPORTS...

GNN-X

SACHANT QU'ON S'ENTEND COMME CHIEN ET CHAT AVEC LA TROUPE DE TOMINE, ILS L'ONT INVITÉ POUR QU'IL NOUS DESCENDE EN FLAMMES !

MERDE ! ILS VEULENT NOUS DÉMOLIR !

L'EFFERVESCENT QU'ON A CHOISI EST UNE SORTE DE PARI, POUR LE MEILLEUR OU POUR LE PIRE.

DE TOUTE FAÇON, IL N'AGIT PAS SUR DES CONSIDÉ-RATIONS PERSON-NELLES.

RESTE À SAVOIR LEQUEL DES DEUX CE SERA...

CE N'EST PAS UN HOMME À QUI ON FAIT PRENDRE DES VESSIES POUR DES LANTERNES.

MAIS À L'INVERSE...

SON IMPRESSION SUR LA SÉLECTION DES VINS DE CE JOUR.

NOUS L'AVONS INVITÉ AFIN QU'IL NOUS DONNE...

À L'OCCASION DE LA FUSION ENTRE NOS DEUX SOCIÉTÉS...

OH... LA PERSONNE QUI VIENT D'ARRIVER EST...

MAÎTRE ISSEI TOMINE, LE CRITIQUE DE VINS QUE VOUS CONNAISSEZ TOUS BIEN.

ALLEZ-Y.

...

MERCI.

BEURK.

AVEC SON "SOURIRE GLACIAL" COINCÉ, LÀ.

BEN QUOI...

EN CETTE OCCA-SION...

JE SUIS SHIMAMO-TO, DES BIÈRES TAIYO...

QUE TOUT LE MONDE EST SERVI EN VIN...

EH BIEN COMME IL SEMBLE...

VA MAIN-TENANT PORTER LE TOAST.

NOTRE ADMINIS-TRATEUR DÉLÉGUÉ, MONSIEUR SHIMA-MOTO...

IL EST TOUJOURS COMME ÇA.

NON, DANS CES MOMENTS-LÀ...

NORMAL, C'EST LE VIL CRITIQUE.

IL N'A PAS L'AIR SOMBRE ?

IL VIDE TOUJOURS SON ESPRIT DE CETTE MANIÈRE.

QUAND IL VA BOIRE DU VIN, POUR MINIMISER SES SENTIMENTS PERSONNELS ET NE PAS AVOIR DE PENSÉES PARASITES...

PEUT BIEN LUI DIRE ?

QU'EST-CE CE QUE CE VIN...

JE NE SAIS PAS.

EH BIEN, CHERS AMIS...

VEUILLEZ TOUS PRENDRE VOS VERRES.

AU MERVEILLEUX AVENIR DES BIÈRES TEIKOKU ET DES BIÈRES TAIYO...

SANTÉ !

SANTÉ !

SANTÉ !

HO HO...

MAIS NE PAS SERVIR DE CHAMPAGNE POUR UN TOAST, C'EST...

TOI...

DE QUEL VIN S'AGIT-IL ?

CAR CE SONT LES BIÈRES TAIYO QUI L'ONT FOURNI.

JE NE SAIS PAS...

C'EST UN CHAMPAGNE PEU COMMUN.

MH ?

JE NE CROIS PAS QUE C'EN SOIT.

NON...

IL A UN BEL ARÔME, UN PEU FRAIS...

MMH ?

NON... VRAIMENT...

MAIS... QU'EST-CE QUE ÇA PEUT ÊTRE, HEIN ?

C'EST VRAI...

MAIS PAR CONSÉQUENT, CERTAINS FONT UNE DRÔLE DE TÊTE ET NE FONT PAS MINE DE BOIRE.

AUTRE CHOSE QUE DU CHAMPA-GNE.

PEUT-ÊTRE QUE LEUR FIERTÉ N'ADMET PAS QU'ON LEUR SERVE...

CEUX QUI COMPRENNENT RIEN QU'AU NEZ QUE CE N'EST PAS DU CHAMPAGNE APPARAISSENT LES UNS APRÈS LES AUTRES.

ON RECONNAÎT BIEN LES ADMINISTRA-TEURS DE GRANDES BRASSERIES.

OUI...

SI NOUS NE LE GAGNONS PAS.

MAIS PETITS COMME NOUS SOMMES, NOUS NE RISQUONS PAS DE SURVIVRE...

C'EST VRAIMENT UN PARI.

OOH...

OOH...

OOOH...

PAR-DELÀ
CE VIN...

JE
PEUX VOIR
L'AUTEL DE
SON DIEU,
BACCHUS.

#247 Fin

#248 *Le rêve auquel invite la mousse blanche fait éclater les sentiments enfouis*

PAR-DELÀ
CE VIN...

JE PEUX
VOIR L'AUTEL
DE BACCHUS.

168

VEUILLEZ M'EXCUSER.

VOUS M'AVEZ DONC ENTENDU ?

QUE SIGNIFIENT VOS PAROLES, À L'INSTANT ?

E... EUH, MAÎTRE TOMINE...

L'AUTEL DE BACCHUS ?!

OUI... ET ?

CE VIN EST SANS DOUTE...

UN EFFERVESCENT PRODUIT AVEC DU RIESLING ALLEMAND.

UN EFFERVESCENT ALLEMAND ?

HEIN ?

EN ALLEMAGNE, ON LES APPELLE "SEKT".

CE SONT DES PRODUITS SUPERBES, TYPIQUEMENT ALLEMANDS, OÙ LE RIESLING EST TRAITÉ EN EFFERVESCENT SELON LA MÉTHODE CHAMPENOISE.

LE JAPON N'EN IMPORTE PRESQUE PAS, MAIS...

ON PRODUIT DONC DU SEKT DANS UN ENDROIT SI PETIT ?

QU'EST-CE QUE LE RHIN-MOYEN ?

QUAND IL S'AGIT DES CRUS DE CE PAYS, LES GRANDES RÉGIONS VINICOLES COMME MOSEL OU RHEINGAU SONT TRÈS RÉPUTÉES, MAIS...

NON, SA PERSONNALITÉ VIVANTE VIENT PEUT-ÊTRE JUSTEMENT, AU CONTRAIRE, DU FAIT QU'IL S'AGIT D'UN SEKT.

ON TROUVE DES TRÉSORS DU GENRE DE CELUI-CI.

DANS LES MINUSCULES ZONES DE PRODUCTION COMME LE RHIN-MOYEN...

IL EST DIFFICILE DE DIRE QUE LE RHIN-MOYEN DONNE DES RIESLINGS REMARQUABLES.

COMPARÉ À LA PERSONNALITÉ DES TERROIRS IMMENSES COMME CEUX DE MOSEL OU RHEINGAU...

QUE DIRE DE LA CHAMPAGNE FRANÇAISE ?

MAIS DANS CE CAS...

SOCIÉTÉ CIVILE DU DOMAINE DE LA ROMANÉE...
PROPRIÉTAIRE À VOSNE-ROMANÉE (CÔTE-D'OR...

ROMANÉE-CON...

APPELLATION ROMANÉE-CONTI CONTR...

7.220 Bouteilles Récoltes

N° 000000

ANNÉE 1974

Mise en bouteille au domaine
PRODUCE OF FRANCE

ELLE NE DONNE PAS NON PLUS DE ROUGE SEMBLABLE À LA ROMA-NÉE-CONTI DE LA CÔTE-DE-NUITS.

TOUT EN ÉTANT RÉGION DE PRODUCTION DU PINOT NOIR...

ELLE NE DONNE PAS DE BLANC SEMBLABLE AU MONTRACHET DE LA CÔTE DE BEAUNE...

TOUT EN ÉTANT RÉGION DE PRODUC-TION DU CHARDON-NAY...

Produit de France

Mis en à la pro

Montrachet
GRAND CRU
APPELLATION MONTRACHET CONTR-LÉE

135 fr.

DOMAINE LEFLAIVE
PROPRIÉTAIRE À PULIGNY-MONTRACHET (CÔTE-D'OR)

TOUTEFOIS, PERSONNE SANS DOUTE NE CONTESTERA...

QUE LE VIN EFFERVESCENT QUI NAÎT EN CHAMPAGNE EST LE MEILLEUR AU MONDE.

SERVEZ-M'EN UN AUTRE VERRE !

OOOOH

JE SUIS RESTÉ SANS LE BOIRE ALORS JE N'AI PLUS DE MOUSSE !

À MOI AUSSI !

À MOI AUSSI !

CE VENT FRAIS PLEIN DE TONICITÉ...

OOH...

OH...

BIEN SÛR, RIEN D'EXIGEANT... IL SEMBLE QUE C'EST LE VIN QUI VIENT TENDRE SA MAIN POUR QU'ON LA SERRE.

LA FRAÎCHEUR DE DIVERS AGRUMES, DE PETITES FLEURS BLANCHES...

C'EST LE DÉBUT D'UNE JOURNÉE DONT ON SEMBLE POUVOIR ATTENDRE QUELQUE CHOSE DE BIEN...

COMME LA LUMIÈRE DU MATIN PASSANT AU TRAVERS D'UN RIDEAU DE DENTELLES...

LES BULLES SONT DOUCES, SEMBLABLES AU BATTEMENT DES AILES D'UN ANGE...

POUR LE MONDE DU VIN...

À VOS DEUX SOCIÉTÉS QUI SONT ESSENTIELLES AUSSI...

ALLEZ...

BIÈRES TEIKOKU ET BIÈRES TAIYO, AVEC CE VIN BIEN DIGNE D'UN TOAST...

SANTÉ !

ET BIEN, PUISQUE MAÎTRE TOMINE INSISTE, À NOUVEAU...

SANTÉ !

SANTÉ !

SOURIRE COMMERCIAL

SONT DES PRODUITS REMARQUABLES QUI SONT DEVENUS TRÈS RECHERCHÉS PAR LES HÔTELS DU MONDE ENTIER.

BIEN SÛR. LES VINS DE RATZENBERGER...

MOI AUSSI.

RÉSERVEZ-MOI.

QUEL MERVEILLEUX EFFERVESCENT !

HAAA...

UN PEU PLUS DE DÉTAILS SUR CE SEKT ?

TOI, POURRAIS-TU ME DONNER...

177

RATZENBERGER

Riesling *Bru...*

2004er Bacharacher Kloster Fürstental

MITTELRHEIN-SEKT

PARMI EUX, CE SEKT...

EST MIS SUR LE MARCHÉ APRÈS UN VIEILLISSEMENT EN BOUTEILLE DE PLUS DE 3 ANS, C'EST-À-DIRE PLUS LONGTEMPS QUE LES CHAMPAGNES NON MILLÉSIMÉS.

NE FAISANT OBSTACLE À RIEN, NOUS VOUS L'AVONS SERVI EN PENSANT QU'IL S'AGISSAIT DU MEILLEUR VIN POUR CET APÉRITIF.

SA MOUSSE UNIQUE, CRÉMEUSE ET DÉLICATE...

MAIS QUEL GENRE DE PERSONNEL COMPOSE DONC VOTRE DÉPARTEMENT VINS, AUX BIÈRES TAIYO ?

ON M'A DIT QU'ILS ÉTAIENT NOUVEAUX DANS LE BUSINESS, MAIS...

JE VOUS REMERCIE.

HUM, TON COMMEN-TAIRE EST ÉGALEMENT PARFAIT.

ARGH !

HARCÈ-LEMENT SEXUEL ! IL EST BOURRÉ, LE VIEUX !

MAIS DIS, PENDANT QUE J'Y SUIS, TU ES ASSEZ MIGNONNE...

C'EST
UNE PETITE
ÉLITE...

D'EXCELLENTS
EMPLOYÉS.

LE DÉPARTE-MENT VINS DES BIÈRES TEIKOKU NOUS SERVE LE PREMIER VIN BLANC.

JE SOU-HAITERAIS DONC QUE...

EH BIEN, NOUS ALLONS SERVIR LES HORS-D'ŒUVRE.

ON JOUE LES PIQUE-ASSIETTES.

BIEN SÛR, LE TRAITEUR DE L'HÔTEL EST DÉLICIEUX !

HAM !

MAIS QUAND MÊME, LE PLUS IMPRESSION-NANT EST ISSEI TOMINE.

LE SENS DE CES MOTS POINTE VERS LA VILLE DE "BACHARACH".

"L'AUTEL DE BACCHUS", PAS VRAI ?

IL A BU UNE GORGÉE DE CE VIN ET MUR-MURÉ...

MÊME SI CELA IMPLIQUAIT AUTRE CHOSE QUE L'IMAGE QU'IL A DÉCRITE ENSUITE, MAIS...

OUI...

LA VILLE DE BACHARACH, TRÈS RÉPUTÉE...

DEPUIS PLUS DE 1 000 ANS POUR SON COMMERCE DE VIN...

HEIN ?

TIENT SON NOM, M'A-T-ON DIT, DE L'AUTEL DE BACCHUS, LE DIEU DU VIN.

POUR TOI DE GAGNER.

ÇA NE VA PAS ÊTRE FACILE...

EN NE BUVANT QU'UNE SEULE GORGÉE, IL A DEVINÉ QUE C'ÉTAIT UN SEKT...

C... C'EST INCROYABLE !

DE RIESLING PRODUIT SUR UNE TERRE DE MOINS DE 10 HECTARES, DANS UNE RÉGION MINEURE MÊME EN ALLEMAGNE ?!

!

JE SAIS...

ET CE
DEPUIS LE
DÉBUT...

OH, PARDON !

ÇA VA ALLER ?!

MAIS NON, MAIS NON.

OUPS !

MAIS DE NOS JOURS, LE VIN...

BEUH

EST PARTIAL ENVERS LA FRANCE.

HAAA... MARRE... IL EST PLUS DE MINUIT...

LES PATRONS SONT BOURRÉS COMME DES COINGS, VOUS CROYEZ QUE ÇA VA ALLER ?

ÇA A L'AIR SYMPA !

J'AIMERAIS QU'ON PUISSE PLIER BOUTIQUE.

ET TOMINE EST PARTI, ALORS...

MAIS ! PUISQUE QUE JE VOUS DIS QU'EN CE QUI CONCERNE CETTE AFFAIRE...

NON ! IL N'EN EST PAS QUESTION.

183

NE CONNAISSEZ-VOUS PAS L'AFFAIRE DU "JUGEMENT DE PARIS" ?

MAIS QUE RACONTEZ-VOUS ?

C'EST NORMAL, CAR QUI DIT "VIN" DIT "FRANCE".

HA HA HA !

AH BON, VOUS CROYEZ ?

MAIS SI VOUS VOULEZ MON AVIS, CE N'ÉTAIT PAS À LA LOYALE.

BIEN SÛR QUE JE LA CONNAIS.

ON PEUT DONC AUSSI DIRE QU'ILS GARDENT TOUJOURS LA MÊME SAVEUR...

OUI, MAIS...

EUH... EH BIEN...

SI JE ME SOUVIENS BIEN, TU AS ACHETÉ DU VIN DES USA ?

TOI...

LE CHARME DE POUVOIR ÊTRE APPRÉCIÉ DÈS LEUR OUVERTURE, LES FRANÇAIS EN SONT DÉPOURVUS.

PARCE QUE L'IMPRESSION MAJEURE DES VINS AMÉRICAINS, OU PLUTÔT...

MAIS MESSIEURS, LES RÉGIONS DE PRODUCTION NE SE LIMITENT PAS À LA FRANCE ET AUX USA.

IL Y A UNE PROFONDEUR ET UNE COMPLEXITÉ QUI N'EXISTE QUE DANS LES VINS FRANÇAIS...

C'EST POUR CELA QU'ILS PEUVENT S'ENORGUEILLIR D'ÊTRE LES PLUS EXPORTÉS AU MONDE.

OUI, OUI, C'EST BIEN QU'UN VIN SOIT UN PEU EXIGEANT.

HUILE SUR LE FEU

DES VINS D'UNE ÉLÉGANCE MERVEILLEUSE QU'IL N'Y A NULLE PART AILLEURS.

ON Y TROUVE À FOISON...

ALLEZ DONC FAIRE UN TOUR DANS LA TOSCANE, EN ITALIE, OÙ J'AI ÉTÉ EN POSTE.

SAUF VOTRE RESPECT, UNE SOCIÉTÉ COMME LES BIÈRES TEIKOKU, QUI N'A POUR ELLE QUE SA GRANDE TAILLE...

DE FAIRE AUX BIÈRES TAIYO, CETTE PETITE COMPAGNIE PRIVÉE, LA FAVEUR D'UNE FUSION !

D'ABORD, JE PENSE QU'IL N'Y A PAS BESOIN...

FERMEZ-LA !

AH, SUFFIT !

GRRR

COMME LES MAMMOUTHS !

DISPARAÎTRA À LA PREMIÈRE ÈRE GLACIAIRE !

QUEL MALPOLI !

COMMENT ?! RIEN QUE POUR LA BIÈRE, VOUS SAVEZ QUI A LA PLUS GROSSE PART DE MARCHÉ, HEIN ?

JE N'ATTENDS QUE ÇA !

ÇA A L'AIR COOL !

VIENS TE BATTRE !

CO... COMMENT DIRE, L'ATMOSPHÈRE DEVIENT BIZARRE...

Résultat, après l'incident de ce jour-là, l'idée d'une fusion entre les deux entreprises est partie en fumée.

...

!

...

#248 Fin

#249 Contraste entre paix et obscurité apporté par une après-midi couleur citron

EN APPREN-
TISSAGE POUR
LE PROCHAIN
APÔTRE,
TU CROIS
?

HOO
?

APPAREMMENT,
IL ÉTAIT À
BORDEAUX.

JE ME
LE DE-
MANDE...

JE PENSE
PLUTÔT QU'IL EST
PARTI EN VOYAGE
AFIN DE SE
DÉBARRASSER
DE SES PROPRES
DOUTES.

PARCE QU'IL
A DÛ PRENDRE
UN GROS COUP
AVEC SON
ÉCHEC DANS
LA MANCHE
PRÉCÉDENTE.

POURQUOI
?

ET IL N'Y
AVAIT PLUS
TRACE DE LA
DÉTRESSE
QUI AURAIT
DÛ L'AVOIR
IMPRÉGNÉ
ALORS.

CEPENDANT,
JE SUIS TOMBÉ
SUR LUI
L'AUTRE JOUR
LÀ OÙ JE NE
M'Y ATTENDAIS
PAS...

CE QUE TU PENSES TRANSPARAÎT TOUT DE SUITE SUR TON VISAGE.

HEIN ?

SI J'ALLAIS FAIRE UN TOUR DANS CE BAR À VIN ?

ÇA FAIT AUSSI UN MOMENT QUE JE NE L'AI PAS VU...

PFF.

SON REGARD DONNAIT L'IMPRESSION QU'IL AVAIT ACQUIS UNE CERTITUDE.

AH BON ?

TU ES SOULAGÉ !

OH, NON...

C'EST UNE QUALITÉ...

QUE JE N'AI PAS.

AH... AH BON ?

OH... ELLE NE T'A PAS APPELÉ ?

ELLE EST RENTRÉE EN FRANCE LA SEMAINE DERNIÈRE.

AU FAIT, "ELLE" EST TOUJOURS AU JAPON ?

C'EST VRAI.

...

TU ES POURTANT SON FILS.

EN ITALIE.

JE N'ARRIVAIS PAS À TE JOINDRE.

ET AU FAIT, OÙ ÉTAIS-TU PASSÉ, TOI AUSSI ?

TU N'ES PAS ALLÉ DANS LE PIÉMONT, AU NORD-OUEST ?

OOH... EN VÉNÉTIE OU ENCORE EN FRIOUL-VÉNÉTIE JULIENNE, PAR EXEMPLE ?

SI, MAIS DANS CETTE RÉGION C'EST LA LOMBARDIE QUI S'EST RÉVÉLÉE INTÉRESSANTE.

OH, TROP LA CHANCE !

EN ITALIE ?!

CETTE FOIS-CI, JE ME SUIS SURTOUT BALADÉ EN ITALIE DU NORD.

EN TOSCANE ? OU BIEN...

AVEC TES GOÛTS DE LUXE...

J'AI PENSÉ QUE TU N'AVAIS PAS ENCORE BU CETTE CUVÉE INFÉRIEURE.

OOOH ! UN CADEAU-SOUVENIR ?!

OUI, MAÎTRE TOMINE !

GARÇON.

APPORTEZ CE QUE J'AI ENVOYÉ.

PARDON DE VOUS AVOIR FAIT ATTENDRE.

ET POSSÈDE UNE QUALITÉ QUE LES CHAMPAGNES MAL RÉUSSIS NE PEUVENT ÉGALER.

ELLE COÛTE DANS LES 4 000 YENS*, MAIS ELLE EST D'UNE COMPLEXITÉ INCROYABLE...

JE T'AI DONNÉ ASSEZ D'INDICES, NON ?

OH, NON ! À L'AVEUGLE, DEVANT TOI ?

QU'EST-CE QUE ÇA PEUT ÊTRE ?

OH...

*N.D.T. : 40 euros

OH... C'EST UN SPUMANTE, HEIN ?

QUELLES JOLIES BULLES !

JE NE TE DEMANDE PAS DE TROUVER LE NOM DE CE CRU...

JE TE DIS JUSTE DE LE BOIRE SANS A PRIORI.

ÇA A L'AIR RIGOLO. ♡

OK.

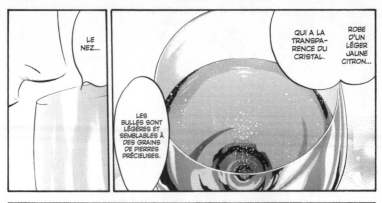

LE NEZ...

LES BULLES SONT LÉGÈRES ET SEMBLABLES À DES GRAINS DE PIERRES PRÉCIEUSES.

QUI A LA TRANSPA-RENCE DU CRISTAL.

ROBE D'UN LÉGER JAUNE CITRON...

MAIS CELA LE REND DOUX ET APAISANT.

PLUTÔT QUE FRAIS, IL DONNE UN PEU L'IMPRES-SION D'ÊTRE MATURE...

HAA...

CE SONT LES RAYONS DU SOLEIL QUI PASSENT ENTRENT DES BRANCHES.

OH NON, J'AI TROP ENVIE DE LE BOIRE...

...

ILS NE SONT PAS D'UNE CHALEUR TORRIDE...

CE SONT CEUX DU PRINTEMPS, QUI RÉCHAUFFENT LÉGÈREMENT.

ET COMMENT SONT-ILS ?

HO HO...

EN DÉBUT D'APRÈS-MIDI, L'HERBE FRAÎCHE ONDOIE...

ET JE LIS UN LIVRE, TOUTE SEULE.

EN CET APRÈS-MIDI OÙ JE N'AI RIEN À FAIRE, MAIS OÙ J'AI LE TEMPS...

JE REGARDE JUSTE ENCORE ET ENCORE UNE PHRASE QUI M'A PLU.

ENFIN, JE N'ARRIVE ABSOLUMENT PAS À ME CONCENTRER SUR L'HISTOIRE...

NON, JE SUIS SURPRIS.

RATÉ ?

C'EST UN BELLAVISTA FRANCIACORTA CUVÉE BRUT NON MILLÉSIMÉ.

ÇA ME FAIT PLAISIR... ET ÇA ME FAIT PEUR.

À MAMAN ?

DÉCIDÉMENT, TU LUI RESSEMBLES.

CAR TU SERAS LE MEILLEUR CRITIQUE AU MONDE.

JE PENSE RÉELLEMENT QUE C'EST DOMMAGE DE TE LAISSER ÊTRE MANNEQUIN.

MAIS C'ÉTAIT EXCELLENT.

MAIS MOI, JE PRENDRAI UN AUTRE CHEMIN.

ÇA ME FAIT VRAIMENT PLAISIR QUE TOI, TU ME DISES ÇA.

MERCI !

POURQUOI ?

LE VIN EST MON AMI POUR LA VIE, MAIS JE NE VEUX PAS EN FAIRE UN TRAVAIL.

JE VEUX GARDER CETTE ATTITUDE.

PARCE QUE J'AI PEUR.

C'EST PEUT-ÊTRE SAGE.

...

MAÎTRE, UNE LETTRE...

DE LA PART DE MAÎTRE KIRYU ?

OUI, ICI TOMINE.

DRRING DRRING

LÀ, JE SUIS EN TRAIN DE DÉJEUNER AVEC MA SŒUR.

ENTENDU.

OUI.

JE REVIENDRAI QUAND J'AURAI FINI, ALORS POSE-LA SUR MON BUREAU EN ATTENDANT.

...

PROFITER TRANQUILLEMENT D'UN REPAS DE MIDI.

CAR ENSUITE, PENDANT UN MOMENT, JE NE POURRAI PLUS...

OUI, HEIN ?

TU AS FAIT LÀ UNE BONNE EXPÉRIENCE.

JE VOIS.

WINE

À L'ÉPOQUE, IL N'Y AVAIT PRATIQUEMENT AUCUN JAPONAIS.

MOI AUSSI, J'AI COURU LE MÉDOC QUAND J'ÉTAIS JEUNE.

VOILÀ UNE BEAUTÉ !

JE SUIS RAVI !

OH...

BIENVENUE !

カカカ
ララ
ンンン

CLANG
CLANG
CLANG

CONDITIONNE REFLEXE

C'ÉTAIT QUAND, PLAQUÉ PAR MA COPINE, J'ÉTAIS AU FOND DU TROU...

FALLAIT PAS TOUCHER À CETTE BLES- SURE.

OU- YOUILLE !

プシュ
PFOU

JE VIENS DE TERMINER UN BOULOT.

TU ES EN CONGÉ ?

ÇA FAISAIT LONG-TEMPS !

EH !

C'EST BIEN SARAH, HEIN ?

SARAH !

J'EN AI UN BON.

PATRON, J'AIME-RAIS DES "BUBULLES".

FAIS-M'EN PROFI-TER !

OH ! MOI AUSSI, MOI AUSSI !

COUCOU !

VOICI.

LA NOTE EST POUR TOI !

TU VEUX TE FAIRE INVITER PAR UN TOP MODEL CONNU DANS LE MONDE ENTIER ?

ALORS QUE JE SUIS UN PAUVRE EMPLOYÉ DE BUREAUUU...

C'EST PAS VRAI ?! C'EST QUI, CETTE FILLE ?! ELLE A POURTANT À PEINE 20 ANS...

C'EST BIEN DE TOI, SARAH.

!

DU CHARDONNAY POUR MOITIÉ, ET POUR LE RESTE, PINOT NOIR ET PINOT MEUNIER.

WOW ! GÉNIAL !

SHINO-HARA ?

C'EST UN JOLI NOM.

TOI AUSSI, VAS-Y.

J... JE SUIS MIYABI SHINOHARA...

M... MERCI BEAUCOUP.

DU DÉPARTE-MENT VINS...

BONJOUR L'ADDITION.

M... MAIS IL A L'AIR CHER...

PAS LA PEINE DE T'EN FAIRE.

WOAAAH ! C'EST UN VIN D'ENFER, CELUI-LÀ !

ELLE EST MIGNONNE... OU PLUTÔT, ELLE EST BELLE ! ♡

MAIS POURQUOI JE ROUGIS, MOI, UNE FILLE ?

À CE PRIX ?! C'EST INCROYABLE !

HEIN ? MAIS LÀ, VOUS AVEZ DIT "ROTHSCHILD" ?

C'EST UN CHAMPAGNE BARONS DE ROTHSCHILD BRUT NON MILLÉSIMÉ.

C'EST PARCE QU'ILS SONT RÉCENTS.

MAIS LEUR PRODUC-TEUR EST UNE FAMILLE EXTRÊMEMENT CÉLÈBRE...

C'EST UNE COLLABORATION ENTRE LES TROIS BRANCHES DES ROTHSCHILD : LAFITE, MOUTON, ET CHÂTEAU CLARKE.

LES BON MARCHÉ VALENT DANS LES 5 000 YENS*.

*N.D.T. : 52 euros

CE VIN FAIT JAILLIR DES TAS D'IMAGES...

À L'HEURE ACTUELLE, ON PEUT L'ACHETER BON MARCHÉ MAIS ON NE POURRA SÛREMENT PLUS SE LE PROCURER À CE PRIX-LÀ DANS QUELQUE TEMPS.

C'EST UN CHAMPAGNE SUPERBE.

OH, J'AVAIS ENVIE DE LE GOÛTER !

HEIN ?!

À... À MOI ?

SI AUJOURD'HUI ON DEMANDAIT À MIYABI QUELLE EST L'IMAGE DE CE VIN ?

MAIS OUI...

B... BON, ALORS...

TU NE PEUX PAS ?

MOI JE PENSE QUE TU EN ES CAPABLE, MAINTENANT.

ESSAYE.

PEUH!

UNE PRAIRIE...

UN JEUNE CERF...

OÙ COURT...

IL GALOPE ÉLÉGAMMENT, D'UN PAS AISÉ. LA PUISSANCE DU CERF...

ET LA FRAÎCHEUR DE LA PRAIRIE SONT TOUTES DEUX CONTE-NUES...

ALORS, SHIZUKU ?

DANS CE CHAMPAGNE, POUR MOI.

EH BEN C'ÉTAIT TOP, NON ?

JE SUIS SCIÉ.

C'EST BIEN DIGNE DU FILS DE YUTAKA KANZAKI...

D'AVOIR AUSSI AUTOUR DE LUI, UNE EXCELLENTE ÉQUIPE.

OUI...

PAS VRAI... SARAH ?

AU FAIT, ET TON HISTOIRE DE "QUÊTE DES APÔTRES", DÉJÀ ?

CE N'EST PAS BIENTÔT LA PROCHAINE ÉTAPE ?

AH, ÇA...

OOH ! TROP CONTENTE, JE CROIS !

BEN, C'EST QUE...

TOUT À
FAIT !

MÊME S'IL
EST DÉLICIEUX,
JE DOIS FAIRE
GAFFE À NE
PAS TROP
BOIRE CE
SOIR...

!

...

Les Gouttes de Dieu   Vol. 25 - Fin

Les Gouttes de Dieu

4ᵉ

Œnologie pratique

Deux experts aimant le vin plus que tout
vous invitent dans son monde captivant.

Kotaro Hayama
Populaire ? Arrières-pensées couleur vin

Écrivain spécialisé en vins qui aime les bourgognes, le champagne, et boire un coup gratuit. Ses articles légers dans des revues d'œnologie l'ont rendu populaire. Il est l'auteur de nombreux ouvrages, dont *Hen'ai wainroku* (Guide partial des vins) et *Kuizude waintsuu* (Le vin par les quizz) (éditeur : Kodansha).

Satoko Fujisaki,
chef du gang du champagne

Tous les soirs, un vin :
Compte rendu d'expériences

Styliste en vins. Elle publie des chroniques où elle présente des crus et restaurants, surtout dans des revues de mode masculine. Elle consomme en moyenne 800 articles par an. Ordonnée Officier de Champagne en 2009.

Aujourd'hui, je vais vous parler du champagne en abordant le sujet de front.

Commençons par vous développer ma théorie purement personnelle. Comme vous le savez, le champagne est produit par assemblage de raisins noirs et blancs (je mets de côté, cette fois-ci, les "blanc de blancs" et "blanc de noirs").

Le raisin noir, autrement dit celui qui donne du vin rouge, contient des polyphénols, efficaces contre le vieillissement. Vous le savez grâce au "boom du vin" de la seconde moitié des années 90, n'est-ce pas ?

Les raisin et vins blancs, quant à eux, sont d'excellents stérilisants. Ils ont paraît-il une puissance antibactérienne particulièrement élevée contre l'E.Coli ou encore la salmonelle. Le champagne n'est-il donc pas vecteur de ces deux bienfaits à la fois ?!

Il y a des moments où boire à la fois du rouge et du blanc est rude, mais avec une bouteille de champagne, on fait d'une pierre deux coups (rires). C'est pourquoi je m'efforce au quotidien d'en consommer, avec cette confortable (et improbable !) justification.

De plus, avec le champagne, on ne tombe jamais mal. Vous ne trouvez pas ça génial ? Le non millésimé, dans toutes les maisons, est expédié après assemblage de la récolte de plusieurs années, et un vieillissement d'au moins 15 mois dans leurs caves.

Cela maintient une certaine qualité. Le champagne millésimé n'est produit que lors des bonnes années. On peut retourner la question dans tous les sens : il ne peut qu'être excellent.

Les plat et vin du jour

Illustration : Yoko Saijo.

France/ Champagne
Champagne Delamotte Brut
(non millésimé)

Chardonnay, Pinot Noir, Pinot Meunier :
à proportion d'environ 5/3/2
Prix demandé au détail : 5 460 yens (57 euros)

Pour tout renseignement : Luc Corporation S.A.

Je pense que le champagne offre un très bon rapport entre coût et efficacité.
Et avec la quantité qui est mise en circulation sur le marché, son prix ne subit aucune
évolution surprenante. Il met de bonne humeur. Sa garantie de saveur est parfaite.

Pour moi, c'est un vin qui peut rendre n'importe qui heureux. De fait, mon frigo est fin
prêt pour le combat, et j'y ai toujours 6 bouteilles de champagne qui attendent leur tour.
Au point que j'ai parfois cette expression qui mériterait punition : "Tant pis, si je buvais
du champagne ?!"

De plus, je m'y attaque en prononçant de drôles d'incantations, du style "Si j'arrive à la
déboucher sans bruit, ça me portera bonheur !"

Cela m'est encore arrivé l'autre jour. C'est un Delamotte Brut que j'ai ouvert en me disant
"Si je prenais de celui-ci, ça fait longtemps que je n'en ai pas bu !" C'est par là qu'il faut
aborder ce champagne.

Décidément, cette maison est incroyablement habile dans l'assemblage. La solide acidité
du chardonnay est soulignée avec un bon équilibre. À l'instant où on l'a versé dans le
verre, le nez qui s'en dégage déborde d'arômes et de la rondeur du fruit...

Après avoir vidé une coupe avec un "Décidément, il est délicieux", allez, une autre !
"Qu'est-ce que je veux manger ?" J'ai ce qu'on appelle envie d'un petit quelque chose.
Je n'ai pas envie de m'embêter. Et donc là, je me suis déniché des ikkyû konbu, célèbre
produit de Matsuda Shinise, situé devant la porte est du temple Daitokuji à Kyoto.

J'ai essayé de nombreux shiokonbu (N.D.T. : algue konbu mijotée à feu doux dans des
condiments, principalement du soja) + champagne, et cette combinaison-là est parfaite !
Elle fait comprendre qu'il y a de la délicatesse dans l'umami du konbu. Et cette délicatesse est digne de celle des bulles du Delamotte Brut. L'arôme venu du vieillissement
accompagne les condiments, ce qui en relève encore la saveur.

Une note indiscrète

. . . .

Les ikkyû konbu sont trop chou, avec
leur forme rebondie. Ils ne sont produits qu'une fois par an. Un paquet
coûte 525 yens (5,50 euros). En les
piquant avec un cure-dent pour les
manger, on ne se salit pas les mains
(rires). Ils sont délicieux aussi dégustés sur des somen juste cuites.

C'est une manière de déguster en se
demandant "Vraiment, ça ira ?", mais je
voudrais absolument que vous essayiez.

De temps en temps, c'est bien d'avoir un
mariage qui tombe juste !

4 - Une méthode pour faire femme élégante et stylée, pour moins de 10 000 yens (104 euros)

Lorsqu'en début d'après-midi, je me balade dans un quartier résidentiel et que la *Lettre à Élise* me parvient aux oreilles, je pense à une petite fille de maternelle avec une robe blanche et un ruban rouge dans les cheveux en train de jouer du piano.

Alors qu'en fait, c'est par exemple un vieux chauve en haut de jogging en train de s'escrimer en suant sur un clavier. Voilà ce qui est terrifiant dans "l'image" qu'ont les choses. Je vais m'en servir a contrario pour vous présenter des "articles pour la formation instantanée d'une fille top", que l'on peut acquérir pour moins de 7 000 yens (73 euros environ).

D'abord, un CD. Pas question d'une musique vertueuse genre *Une petite musique de nuit de Mozart*, recommandée par les mamas des associations de parents d'élèves. Si par hasard je me faisais draguer par une nana qui a ce genre de goûts, je fuirais au cri de : "Il faut que je rentre, il y a le dernier épisode de *Mitokomon** à la télé".

Si une femme veut se montrer intellectuelle et stylée, ce qu'il lui faut c'est évidemment le trio du pianiste Bill Evans, et c'est comme ça depuis l'ère Heian (N.D.T. :) (794-1185) on peut acheter d'occasion le CD de *Portrait in jazz* pour moins de 1 500 yens (15 euros environ). Il suffit de l'avoir déposé l'air de rien sur une table pour se créer une aura de parfait bon goût.

Après le CD, le livre de peintures. Celles qui semblent vouloir apprécier Renoir, qui ne peignait en nu que des grosses femmes bien saines à 8 bouées autour du ventre, ou encore Monet, qui a "produit" plus de 200 "Nymphéas", sont les femmes vertueuses aux dessous 100 % coton et aux chemisiers boutonnés jusqu'en haut.

*N.D.T. : Série historique qui a duré de 1969 à 2011. Elle se déroule au XVIIe siècle et met en scène l'ancien vice-shogun et second seigneur du domaine féodal de Mito (couvrant à peu près l'actuelle préfecture d'Ibaraki) dont le surnom est Mitokomon. Le vice-shogun voyage incognito et vient en aide aux habitants victimes de brigands ou de fonctionnaires corrompus.

Illustration : Yoko Saijo.

Bailly-Lapierre
Crémant de Bourgogne
Blanc de Blancs Brut

France/Bourgogne
Blanc – effervescent / Prix demandé au détail :
2 625 yens (27 euros)

Agence d'importation : Arcane Ltd

Si on veut vraiment bluffer, il faut un peintre étrange et un peu nébuleux. Par exemple, Frida Kahlo qui a peint deux femmes sinistres liées par des veines. On trouve des recueils de ses œuvres pour 2 000 yens (20 euros environ) dans toutes les librairies.

Pour les romans, il faut laisser tomber *"Han'ochi"* (N.D.T. : demi-confession) de Hideo Yokoyama avec sa description de la ténacité des policiers et des relations humaines sirupeuses ; par contre, poser *Cent ans de solitude*, du discret mais sud-américain Gabriel García Márquez, ouvert sur la table de nuit donnera l'impression d'une fille cool, intelligente et rebelle.

Une fois que l'on a préparé Bill Evans, Frida Kahlo et García Márquez, même s'ils n'ont aucun rapport avec ses goûts personnels, le point super important est ce que l'on va boire.

Proposer de préparer un "chuhai avec une umeboshi" (N.D.T. : cocktail pétillant léger avec une prune marinée) relève de l'affectation. Une fille top, pour être classe, ne peut boire que du champagne.

Mais servir le meilleur, le Dom Pérignon, sentira trop le "béni oui-oui" et transformera en "pauvre fille" qui en fait trop. Les éléments de base d'un accessoire pour fille super sont : "un peu mineur mais de connaisseurs", "rebelle", et "loin du quotidien". Le vin fidèle à ceux-ci est l'effervescent produit en Bourgogne par Bailly-Lapierre.

Ce n'est pas du champagne, mais ce Blanc de Blancs (terme professionnel pour un vin de raisins blancs uniquement) 100 % Chardonnay, le plus prestigieux des raisins, possède aussi l'arôme de fruits secs ou encore de miel typique des plus luxueux champagnes. Il produit une grande quantité de mousse fine, aussi, si l'on pose le verre sur la table de nuit et que le matin à l'aube, on tend la main vers lui car on a soif, il devrait toujours y avoir un trait de bulles qui s'en élève. L'étiquette aussi fait luxueuse, et on ne croirait pas qu'il s'agit d'un vin dont le prix tourne autour de 2 000 yens (environ 20 euros).

Une nana qui a un sac de grande marque juste pour s'en vanter est une idiote dont la pointure correspond à sa note d'examen de fin d'année en anglais (N.D.T. : au Japon, on note en général sur 100 et non sur 20 ; quant aux pointures, un 40 français correspond à un 25 japonais).

Ce vin en un petit mot

Un effervescent produit par un Bourguignon avec fierté et le meilleur des raisins. Combien de pros, en le buvant sans savoir, pourraient deviner que ce n'est pas du champagne ? Combien y a-t-il de champagnes meilleurs que lui, alors qu'ils coûtent deux fois plus chers ?

Avoir toujours de ce vin de connaisseurs Bailly-Lapierre dans son frigo est classe, alors qu'il coûte à peine le prix de la fermeture d'un sac de marque.

Le bon goût d'une femme se voit à son range-CD, à sa bibliothèque et à son frigo.

Ce n'est absolument pas parce que c'est l'été, mais ma vie s'est poursuivie en ce moment sur le mode : champagne, champagne, blanc, champagne. Et de plus, uniquement sur du poisson.

À force, bien sûr, je ressens tout à coup l'envie de "Manger de la viande ! Boire du rouge !" Je crois bien que quelqu'un m'a dit "On devient sage quand on mange ce dont on a envie" et donc, le thème de cet article sera une mise en pratique de cet adage.

J'ai décidé du menu tout de suite. De la viande de porc. Comme c'est ma spécialité, j'ai une idée claire de son goût. J'ai donc commencé par sélectionner le vin. J'ai d'abord écarté les types solides, tels les Cabernet-Sauvignon et autres Sangiovese, car mon corps n'en a pas encore l'habitude. J'aime tellement les Pinot Noir que j'hésiterais à n'en plus finir, ce sera donc pour une autre fois.

D'où le choix, facile à comprendre, d'un Merlot. Et j'ose celui de l'hémisphère sud. Pourquoi ?

Parce que mon sentiment, c'est que je veux de l'audace. Il me semble que ce cépage, s'il est cultivé dans l'hémisphère sud, repose sur 3 piliers : richesse, audace et fruité. Et comme en plus, le Merlot laisse à la base l'impression d'être facile à boire, je veux mettre celle-ci en valeur.

Jeune et ferme, mais avec une attaque douce et une finale longue.

Les plat et vin du jour

Illustration : Yoko Saijo

Chili/ Maule Valley
Aromo Merlot Private
Reserve 2008

100 % Merlot
Prix de référence au détail : 1 450 yens (14 euros)

Pour tout renseignement : Tokuoka Ltd.

C'est le type qui, même bien frais (c'est qu'on est en été !) garde une charpente solide. Si je devais le comparer à un homme, ce serait à celui à qui le costume va bien même s'il a pris une suée... enfin, ce genre-là, quoi.

J'ai pensé aux Merlot français, mais j'ai eu l'impression qu'il faudrait réfléchir, alors... il en faudrait un donnant davantage une sensation de maturité, vous voyez (fatiguant, ça !). Mais qui ne soit pas un assemblage. Je veux pouvoir apprécier la force du fruit.

Après avoir pris en compte toutes mes conditions tatillonnes, j'ai trouvé ce Amoro Merlot private reserve 2008. J'ai été surprise par son prix (c'est que c'est un *private reserve*, quand même !), plus encore quand je l'ai goûté.

C'est bon, ça ! On peut le boire sans y penser. Je n'aime pas trop employer le mot "qualité/prix", mais avec le sien, ça vaut le coup d'en acheter une caisse. Du coup, je suis à fond en mode carnivore. Vite, mettons-nous à la cuisine.

Le plat : sauté de porc et chou au sel. Trooop facile. Je vais vous donner les points qui m'ont fait penser qu'en faisant ainsi, il devrait aller avec le vin.

Découper le filet de porc en tranches fines (je ne voulais pas de la vraie graisse, c'est tout). Saler, poivrer, verser dessus une goutte du vin que l'on va boire et le frotter avec. Rien qu'en se donnant cette petite peine, ils m'ont semblé bien se marier. Ne reste qu'à le sauter et manger.

Je l'ai indiqué sur la note indiscrète, mais il faut faire attention au piment rouge, qui a un impact sur l'umami de la viande. Oui, car si j'ai choisi de la faire au sel, c'est que je voulais un goût simple.

Puisque le vin est un 100 % Merlot. Si l'on met de la sauce d'huître ou de la sauce XO (N.D.T. : sauce chinoise comprenant entre autres fruits de mer séchés et piment), cela provoque une nouvelle évolution gustative.

Une note indiscrète

100 g de porc (filet en tranches fines)/ ¼ de chou / 1 gousse d'ail, 1 piment, bouillon de canard, huile de sésame. Pour le porc : sel, poivre, le vin que l'on va boire. Découper le porc en grosses bouchées. Couper finement l'ail et déchirer le piment rouge avec les doigts. Verser l'huile de sésame dans la poêle, ajouter l'ail et le piment, puis la viande quand l'ail aura commencé à colorer. Quand le porc fera de même, ajouter le chou coupé grossièrement. Cuire à feu fort, et ajouter le bouillon de canard quand le chou aura rendu son eau. Puis sauter en une fois.

Je crois que là, on se confronte à de la complexité. On peut beaucoup attendre des alliances inattendues, hein ?

Je vais tenter l'expérience en douce.
Ah... en passant, mon style de cuisine est de préparer "en buvant".

Je le tiendrai pour dit !

La campagne par mail et l'opération téléphone qui se sont déroulées sur un mois ayant porté leurs fruits, voici venu le jour du dîner crucial.

Se demandant quoi faire en cas d'annulation à la dernière minute, ou si jamais on se fait détester parce qu'on a dit le "mot crucial", on a depuis le matin le cœur qui bat la chamade et c'est impossible de se concentrer sur son boulot.

On fait bien mine de rentrer des données, assis devant l'ordinateur, mais notre esprit s'est envolé vers le restaurant gastronomique français de ce soir. Quel menu devra-t-on commander ? Le vin doit être cher, dans un restau pareil. Lequel commander pour avoir l'air classe... ou plutôt, pour éviter de se payer la honte ?

Toi qui penses à tout ça, tu es un bon élève super sérieux. Mais pour être franc, si tu attaques de front, tu as de bonnes chances pour te planter en beauté.

Un peu comme un batteur de baseball qui se met en place et trouve en face de lui un lanceur puissant et rapide auquel il est confronté pour la première fois. Il ne touchera même pas la balle à 155 km/h et se verra dégagé en trois coups, c'est gros comme une maison. Un homme astucieux prendra une approche complètement différente.

La première étape pour avoir la classe dans un restau gastronomique français, c'est de se faire envoyer le menu et la carte des vins par fax au moment où on prend la réservation.

C'est vraiment pratique, car d'abord en ayant quelques jours devant soi on peut "réviser" en demandant à ses amis ou en cherchant sur le net des détails et des connaissances sur ces mets et vins ; et on est très content de connaître les prix d'avance.

C'est comme connaître toutes les techniques du lanceur adverse.

Illustration : Yoko Saijo

France/ Bourgogne
Hautes-Côtes de Nuits 2005,
Michel Gros

100 % Pinot Noir
Rouge – sec/ Prix demandé au détail :
3 622 yens (37 euros)

Importateur : Mottox Ltd

La deuxième étape est de se faire un allié du sommelier. Pour cela, ce serait bien d'aller une première fois au restaurant et de lui demander conseil.

Si vous lui indiquez les circonstances, par exemple si vous lui demandez sa collaboration pour une demande en mariage, il vous fera aimablement des propositions telles que "Préparons des fleurs pour le moment du dessert" ou "Je vous réserve un salon particulier", et vous conseillera également sur les mets et les vins.

Comme il a été témoin de dizaines de milliers de "dîners cruciaux", il adore jouer le rôle de Cupidon. Si vous avez de votre côté le sommelier et tout le personnel du restaurant, il y a de grandes chances pour que votre romance marche comme vous voulez.

Dans l'équipe adverse, ce ne sera pas uniquement le lanceur, mais aussi les joueurs de champ et jusqu'à l'entraîneur qui s'arrangeront pour que vous puissiez frapper un superbe *home run*. Par exemple, quand vous arriverez avec elle au restaurant, le personnel de la réception, rien qu'en voyant votre visage, vous dira "Bienvenue, monsieur XX" et vous donnerez l'impression d'être un habitué des lieux.

Alors, quel vin faudra-t-il commander ? Moi, je choisirais un bourgogne classique, très parfumé et avec un bon équilibre entre âpreté et acidité.

Parmi ces bourgognes dont on dit qu'on "a beau payer même douloureusement cher pour eux, la plupart ne sont pas fantastiques" les rouges de haute qualité au bon rapport qualité-prix sont encore plus rares qu'un corbeau blanc. Ce corbeau blanc connu des seuls pro est le Hautes-Côtes-de-Nuits.

Quel que soit le producteur, sa qualité sera d'un niveau élevé, et jusqu'ici je ne suis jamais tombé sur un mauvais ; mais parmi eux je vous recommande chaudement celui de la célèbre maison Michel Gros.

Pour ce prix-là, on y trouve des arômes de cuir et de café qui sont caractéristiques des grands vins de Bourgogne.

Ce vin en un petit mot

Michel Gros est le fils aîné de Jean Gros, et son héritier en ligne directe. S'il y avait en Bourgogne un "concours du type bien", c'est lui qui arriverait premier. Au moment de la succession, il a donné à sa petite sœur Anne-Françoise le vignoble grand cru Richebourg. Sa gentillesse et son calme transparaissent dans son vin.

Lors d'une soirée cruciale, ce corbeau blanc amènera avec lui l'oiseau bleu du bonheur.

5 - Du vin sur un barbecue, c'est smart.
Donner de l'ampleur aux mariages par l'assaisonnement

Depuis le début de l'année, il y a tant d'articles présentant des "suggestions pour le barbecue" dans les magazines qu'on dirait que ça y est, le boom est arrivé ! Je suis moi-même campeuse (j'adore camper) donc je les ai passés au crible, mais sincèrement ils m'ont laissé l'impression d'oublier le lecteur.

À l'origine, le niveau des techniques de préparation et du choix des ingrédients était trop élevé pour proposer des idées de barbecues à des gens qui pensent ne pas être trop "cuisine". C'est un festival de produits trop spécialisés de style "un débutant n'arrivera sûrement jamais à s'en servir", quant aux boissons, elles sont purement là pour la forme. L'équilibre n'est pas bon. Ils ne se sont pas demandé si cela irait aux gens.

J'ai donc pensé que c'était à moi de m'y coller, d'où le thème de cette fois-ci : comment accorder le vin à des champignons sur le grill ? (Car il ne peut y avoir de barbecue sans vin !)

Les champignons sont l'ingrédient du barbecue le plus populaire. Pourquoi ?

La réponse est simple : parce qu'ils ne demandent aucun effort. Pour les shii-take, il suffit de couper le pied et de les faire cuire sur le chapeau (c'est un point important).

Les poules des bois (mai-take) et les pleurotes du panicaut (eringi), on les rompt à la main. C'est à la portée de n'importe qui. Le problème, c'est la façon de des manger.

Personnellement, je prépare autant de condiments que possible. Sel, poivre, citron, sauce soja, wasabi.

Ces cinq-là sont un must. Ils peuvent soutenir n'importe quelle viande ou poisson, et sont donc particulièrement excellents.

Les plat et vin du jour

MEURSAULT

Illustration : Yoko Saijo.

France/ Côte de Beaune
Meursault 2006, Alain Coche-Bizouard

Chardonnay 100 %
Blanc, sec / Prix du marché :
environ 5 800 yens (57 euros)

Pour tout renseignement : Vin sur Vin

Je veux aussi de l'huile d'olive extra-vierge. Il suffit d'en verser quelques gouttes pour modifier d'un coup les saveurs et les parfums. Chaque espèce de la famille des champignons possède un goût qui lui est propre.

Comment les assaisonner (même si ce n'est que les saler) afin qu'ils s'accordent avec le vin ?

Richesse dans les arômes, manière de s'étendre en bouche quand on le boit, longue finale, et complexité. Si un vin a seulement ces éléments-là, j'ai l'impression qu'il pourrait se marier à n'importe quoi. Hum, mais pas du rouge.

La sensation un peu tannique gênerait. Les Chardonnay californiens ne vont pas. Trop puissants. Alors, un Sauvignon Blanc ? L'acidité est un peu trop proéminente.

La France, alors... à Bordeaux, les différences entre producteurs sont tranchées, hein ? Pour la Loire, il faut vraiment viser précis avec le cépage, alors ce serait plus agréable de préparer plusieurs bouteilles différentes. La Bourgogne. Mais oui, que donnerait un Meursault ? Et puis, le village voisin est Puligny-Montrachet. Et Volnay, aussi. J'ai un bon pressentiment. Oui, même bu seul, il est délicieux ! ♪

Et donc, j'ai choisi celui-ci : le Meursault Alain Coche-Bizouard 2006. Ce vin offre de la variété, alors je devrais pouvoir trouver des condiments qui révèlent l'umami des produits.

Pour les saveurs, je vais vous les donner en détail. Il faut choisir de gros shiitake. Des frais que l'on aurait presque envie de faire en "donko" (N.D.T. : shiitake séchés gros et charnus, considérés comme de la plus haute qualité), c'est bien. On les assaisonne avec du sel et du citron.

Cela s'est bien accordé avec le côté beurré du vin. Avec de la sauce soja, c'est ordinaire. Les poules des bois. Avec eux huile d'olive, sel et poivre.

Une note indiscrète

. . . .

On peut prendre n'importe quelle espèce de champignon. Il faut prêter attention à la manière de griller les shiitake, uniquement. Il faut en couper le pied et les retourner, chapeau vers le bas. Quand ils rendent leur eau en faisant du jus, c'est le moment de les manger. Pour les verres de vin, il faut absolument des Riedel O. On les transporte dans leur boîte, c'est pratique. Ce n'est pas parce que c'est un barbecue qu'il faut se contenter de verres ordinaires.

Vous penserez sûrement : "Tiens, ces champignons étaient si bon que ça, déjà ?".

C'est parfait avec l'impression de complexité laissée par le vin. Les pleurotes du panicaut. Là-dessus, sauce soja et wasabi. Cela souligne l'acidité du vin.

Chacun des trois mariages est différent de l'autre. Oui, que c'est profond, tout ça !

6 - La raison pour laquelle James Bond boit du champagne

La version anglaise de la longue série dont le Japon est si fier, Mitokomon, est la série "007", l'espion au service de Sa Majesté. Il y a entre les deux de nombreux points communs. Dans les deux cas, les méchants sont battus après beaucoup de scènes d'action et on a des clichés dont on ne se lasse pas.

Dans Mitokomon, le méchant fonctionnaire fait ce qu'il veut jusqu'à 20h32, et en "examinant un peu la situation", le héros la laisse effectivement empirer.

Dans les "007", le chef des méchants, après avoir capturé James Bond et la jolie fille dans les dernières 30 minutes et les avoir invités à un luxueux dîner, voit sa base détruite. Bond boit toujours du champagne lors de ses dîners avec les jolies filles, ainsi qu'au lit. Pourquoi James Bond ne boit-il que du champagne ?

D'abord, parce que c'est la boisson la plus sexy qui soit. Un vieil adage français dit "Le bordeaux fait penser des bêtises, le bourgogne fait dire des bêtises, le champagne fait faire des bêtises".

Bien sûr, les "bêtises" sont érotiques. Les grands bordeaux orthodoxes comme le Lafite ou le Margaux sont des guerriers consciencieux d'Edo.

Il faut les boire agenouillé de manière traditionnelle (en "seiza"), les goûter et donner un commentaire après avoir bien fait tourner son verre, et puis ramener sa cavalière bien avant le couvre-feu. Ce n'est pas très différent de quand on boit du lait.

Le bourgogne est une trentenaire sexy qui, une fois saoule, se retrouve le kimono en désordre.

Illustration : Yoko Saijo

France/ Champagne
Taittinger Brut Réserve non millésimé
(demi-bouteille)

Effervescent, sec/ 37,5 cl
Prix demandé au détail : 3 980 yens (41 euros)

Importateur : Nippon Liquor Ltd

Elle pense que si on est sur la même longueur d'ondes, elle peut bien ne pas respecter le couvre-feu et avoir des secrets pour ses parents. Quant au champagne, c'est la maîtresse de l'empereur. En plus d'être savante, élégante et stylée, elle est immorale, ce qui est incroyablement excitant.

La deuxième raison, c'est que le champagne offre une atmosphère élégante et luxueuse. Un whisky coupé d'eau est un stand de boisson à Ginza d'où s'élève de la fumée de cigarette, un moscow mule est un shot bar pas tout à fait classe de Shimokitazawa, lieu de rendez-vous des comédiens de troupes de théâtres, le chuhai et la bière à la pression sont une cafétéria au port de courses de bateaux de Heiwajima, où se rassemblent les papys. Il n'y a pas dans la galaxie d'autre boisson que le champagne qui donne le sentiment de boire en retenant son souffle, avec une fille top portant une robe la couvrant aussi peu que possible, à 1 heure du matin.

La troisième raison, c'est que le champagne ne tache pas. Les grands vins rouges à qui Robert Parker Jr, empereur du monde du vin, donne plus de 95 points sont d'une couleur proche du noir. Il suffit d'une gorgée pour avoir les dents et la langue violettes, et avec un mauvais mouvement en tournant le verre une tache rouge se répand sur les vêtements.

Il fait éclore des fleurs toutes rouges sur les draps d'un blanc immaculé si l'on en renverse par mégarde dans son lit. Et là, c'est le drame : "Ah, je dois enlever la tache tout de suite ou elle ne partira jamais !" et l'atmosphère sexy que l'on a bâtie centimètre par centimètre en 4 heures s'est évaporée en un instant. Et donc, voilà pourquoi James Bond boit du champagne.

L'un des plus grands chefs-d'œuvre de la série des 007 est le second film, *Bons baisers de Russie*. Sans un seul gadget high-tech pour gamins, il convainc par l'intelligence de son scénario et le jeu des acteurs : c'est un vrai de vrai. Le champagne était jusque-là apparu dans des dizaines de milliers de films, mais n'avait jamais joué un rôle aussi important que dans celui-ci. Et celui qui figure dans ce long-métrage est le Comtes de Champagne, fierté mondiale de Taittinger.

Ce vin en un petit mot

Un chevalier tenant une épée est l'emblème de cette maison, mais c'est le plus gracieux des champagnes. Comme Grace Kelly, il est à la fois intellectuel et débordant de sensualité raffinée.

En buvant la demi-bouteille de sa version standard, le brut réserve, il faut regarder ce film en DVD.

Un proverbe anglais dit que "le tailleur fait l'homme", mais c'est le champagne qui fait James Bond.

Les vins de Tadashi Agi

Quels vins
l'auteur a-t-il dégustés ?

Notation sur une échelle de 0 à 5 étoiles

Château Clos de l'Oratoire

2001, environ 5 000 yens (50 euros). Plus dense que je ne le pensais, mais bien vieilli. Un vin au fruité intense, au bon équilibre acidité/tanins, riche, souple et sophistiqué. Il vaut bien son prix.

★★★★★

Enira, Bessa Valley Winery

2006, environ 2 600 yens (26 euros). Un vin typique de Bulgarie, produit de l'assemblage Merlot, Cabernet-Sauvignon et Syrah. Texture en bouche légèrement collante. L'harmonie entre le moelleux et l'acidité, donnant au départ un sentiment de malaise, devient étonnamment agréable au fur et à mesure de la dégustation. C'est un vin un peu étrange, mais pour son prix il vaut le coup de le boire.

★★☆☆☆

Châteauneuf-du-Pape, Domaine Bois de Boursan

2006, environ 6 000 yens (60 euros). Un arôme élégant de fleurs rouges typique d'un Châteauneuf, un palais épicé et au fruité profond et mûr. Exotique et riche, puissant mais avec aussi une légère fraîcheur. Un "Neuf" fascinant bien digne de ce producteur dont on attend beaucoup.

★★★☆☆

Le Petit Lousteau

2007, 2 500 yens (25 euros environ). Un vin que j'ai bu dans un jazz bar où j'étais entré par hasard, simple AOC Médoc, mais bien meilleur que je n'aurais cru. Apparemment c'est une sorte de second vin de Château Lousteauneuf, mais on n'y sent rien des tanins rugueux fréquents chez les Médoc bon marché, et en plus de son velouté, la vanille sur la finale n'avait rien d'artificiel.

★★★☆☆

Nuits-Saint-Georges Premier Cru Clos de Forêts-Saint-Georges, Domaine de l'Arlot

1999, 13 000 yens (128 euros environ). Après 10 ans, tous ses éléments se sont fondus avec grâce et moelleux, et c'est vraiment le moment de le boire. L'équilibre entre douceur et puissance est de la meilleure qualité qui soit ; je l'ai de plus dégusté sur un flan aux champignons, ce qui fut un mariage heureux.

★★★★☆

Palais Kesselstatt Riesling Sekt Brut

2005, environ 5 000 yens (50 euros). Un effervescent de la région Mosel. Après un vieillissement de 20 mois, lors du dosage (ajustement du sucré pour la quantité de vin, après avoir enlevé la lie) on se sert de vin de glace au lieu de sucre, ce qui donne un breuvage concentré. Un sec tendu, dont le corps lourd offre de la consistance, toutefois personnellement j'aurais aimé un peu plus d'élégance dans sa saveur. Mais il n'est pas mal.

★★★☆☆

Jacquesson Avize Grand Cru, Jacquesson et Fils

97, environ 11 000 yens (109 euros). Un champagne qui a plus de 200 ans d'histoire et était paraît-il apprécié par l'empereur Napoléon. Cet effervescent produit avec les vieilles vignes d'un vignoble grand cru sur la commune d'Avize est extrêmement classique. Acidité et minéralité plutôt fortes, corps puissant. Sa saveur a de l'impact, mais j'aurais préféré qu'il soit plus sexy, ou plutôt, offre une saveur un peu plus "show-off".

★★☆☆☆

Corton Clos du Roi, Domaine Prince Florent de Mérode

2006, environ 9 500 yens (94 euros). On dit que ce vignoble de Mérode est loué par le DRC (domaine de la Romanée-Conti) depuis 2009 pour y faire du Corton. Il était encore en plein processus de vieillissement, mais m'a étonné car facile à boire. Arôme raffiné, acidité douce, il coule tranquillement en gorge, comme de la soie. C'est un bourgogne de haute qualité. C'est une affaire si on l'achète maintenant, avant qu'il ne soit vendu comme grand vin du DRC.

★★★★★

Chablis Grand Cru Les Preuses, William Fèvre

2007, environ 8 000 yens (79 euros). Un grand cru à l'acidité douce, élégant pour un Chablis. Arôme modeste de petites fleurs blanches, acidité fraîche comme du citron, un breuvage délicat et limpide. C'est un bon vin, mais pour ceux qui recherchent le côté sec et piquant typique du Chablis, il manquera peut-être quelque chose.

★★★☆☆

Jacob's Creek Sparkling Rosé

Non-millésimé, environ 1 500 yens (15 euros). Quand je l'ai bu à température un peu élevée, il n'a pas fait tilt, mais une fois rafraîchi cet effervescent australien était plutôt bon. Arôme éclatant de baies, bon équilibre moelleux/acidité, rond et facile à boire, et à la robe d'une très belle couleur. Et en tout cas, son rapport qualité-prix pour un vin dans les 1 500 yens fait son charme.

★★☆☆☆

LES GOUTTES DE DIEU

Traduction : Anne-Sophie Thévenon
Correction : Yoann Passuello
Lettrage : Sébastien Douaud

Éditions Glénat
Couvent Sainte-Cécile – 37, rue Servan – 38000 Grenoble
ISBN : 978-2-7234-8642-2
ISSN : 1253-1928
Dépôt légal : novembre 2012

Imprimé en France en novembre 2012
par Hérissey – 27 000 Évreux
sur papier provenant de forêts gérées de manière durable

www.glenatmanga.com